BERLITZ

BOSTON

- Un ✓ dans la marge indique un site ou monument que nous vous recommandons tout particulièrement
- Berlitz-Info regroupe toutes les informations pratiques, classées de A à Z, à partir de la page 115
- Pour un repérage facile, des cartes claires et détaillées figurent sur la couverture de ce guide

Printed in Switzerland by Weber SA, Bienne.

1re édition (1994/1995)

Bien que l'exactitude des informations présentées dans ce guide ait été soigneusement vérifiée, elle n'en est pas moins subordonnée aux fluctuations temporelles. N'hésitez pas à nous faire part de vos corrections ou de vos suggestions en écrivant aux Éditions Berlitz, à l'adresse ci-dessus.

Texte:	Fred Mawer
Adaptation française:	Patricia Mathieu
Rédaction:	Patricia Mathieu, Christine Frohly
Photographie:	Jon Davison; Fred Mawer (pp. 4, 11, 14, 23, 24, 31, 32, 37, 50, 57, 62, 86, 91, 94-95, 96, 99, 100, 111, 114)
Maquette:	Suzanna Boyle
Cartographie:	Visual Image

Nous remercions Virgin Atlantic Airways, le Greater Boston Convention and Visitors Bureau, et le North of Boston Convention and Visitors Bureau pour leur collaboration lors de la préparation de ce guide.

Photos de couverture: *Massachusetts State House*,
© The Telegraph Colour Library
Swan boat, Public Garden, © Berlitz

SOMMAIRE

Boston et les Bostoniens   5

Un peu d'histoire   9

Que voir   18
    Boston Common et Beacon Hill   19
    Downtown (centre-ville)   27
    Le North End   36
    Charlestown   39
    Au fil de l'eau   43
    Back Bay   46
    Autour de Back Bay   51
    Autour de Boston   56
    Cambridge   59
    À la découverte du Massachusetts   83

Guide des hôtels et restaurants   65

Que faire   98
    Les achats   98
    Les distractions et les sports   102
    Pour les enfants   108

Les plaisirs de la table   110

Berlitz-info   115

Index   140

Boston et les Bostoniens

La *Boston Tea Party*, le «massacre de Boston», la chevauchée nocturne de Paul Revere: la capitale du Massachusetts est célèbre pour ses années révolutionnaires. C'est ici que les colonies britanniques d'Amérique se soulevèrent et que la guerre d'Indépendance américaine commença.

Le passé est la plus grande gloire de Boston et c'est cette riche histoire qui attire les visiteurs: Boston est l'une des plus anciennes et des plus vénérables villes des États-Unis. Bon nombre de monuments et d'institutions peuvent d'ailleurs prétendre au titre de premiers ou plus anciens du pays. Cet héritage glorieux n'est cependant pas le seul atout de Boston. Certes, ses gratte-ciel n'ont pas la taille de ceux de New York et ses monuments sont moins imposants que ceux de Rome, mais la juxtaposition originale de l'ancien et du moderne, se détachant sur un fond de neige ou de magnolias, fait le charme même de la ville. Sur un espace de quelques kilomètres carrés, les bateaux sillonnent le port et les avions le survolent, les goélands font des piqués entre les tours qui écrasent de leur taille les monuments coloniaux, et des maisons victoriennes s'alignent le long des rues pavées.

Ce mélange attrayant et reposant attire quelque 5 millions de touristes par an. Depuis l'arrivée des puritains en 1630, la ville de Boston a toujours séduit les visiteurs. La plupart des Bostoniens furent jadis eux-mêmes des touristes, qui arrivèrent en bateau du monde entier – notamment d'Irlande et d'Italie; des quartiers entiers, tels le South End irlandais et le North End italien, portent leurs empreintes.

Boston est une ville étonnamment petite, qui compte un peu plus de 500 000 habitants – même si, avec ses banlieues, elle rassemble plus de 3 millions d'âmes. Les résidents aiment à comparer leurs quartiers à des villages et beaucoup de gens se rendent à leur travail à pied;

les distances sont courtes, les trottoirs sûrs, et les rues sont célèbres pour leurs embouteillages. «Allons-nous y à pied ou avons-nous le temps de prendre un taxi?» résume une plaisanterie. La culture de l'automobile, qui a envahi le reste des États-Unis, n'a pas atteint Boston, où le nouveau remède aux encombrements, d'un coût de cinq milliards de dollars, porte le nom de Projet d'artère centrale, ou «Big Dig». Il remplacera l'horrible voie rapide aérienne, qui défigure le centre-ville, par un passage souterrain, et un autre tunnel passera sous le port en direction de l'aéroport.

En fait, les Bostoniens apprécient plutôt ces difficultés de circulation, car elles renforcent leur individualité et leur solidarité face à l'adversité. C'est aussi ce trait de caractère qui place à la une des journaux les événements sportifs de la région, reléguant à l'arrière-plan les grands problèmes du monde. Le bien-être de la ville semble lié à la réussite de ses grandes équipes sportives. Il suffit que les Red Sox gagnent une série de matchs de base-ball pour que toute la ville se sente heureuse. Dans tous les bars, les téléviseurs s'allument lorsqu'une équipe locale joue, interrompant le bavardage des couples qui avaient prévu une soirée romantique.

Boston est surnommée «the Hub» (le centre). C'est Oliver Wendell Holmes, professeur d'anatomie à l'université de Harvard, qui trouva ce surnom en 1858 pour symboliser le sentiment d'importance de la ville. À cette époque, Boston était le cœur intellectuel et culturel du pays, et la déclaration d'Holmes, selon laquelle la State House (le siège du gouvernement de l'État) de Boston était «le centre de l'univers» devint «Boston est le centre de l'univers». La ville a conservé ce titre depuis.

Aujourd'hui, l'héritage intellectuel du «Hub» se reflète dans ses dizaines d'universités – on n'en connaît même pas le nombre exact – et par l'afflux annuel de centaines de milliers d'étudiants. La culture et la connaissance ont conservé des proportions considérables pour

une ville de cette taille. C'est à Boston que le budget alloué aux arts est le plus fort du pays par habitant. On y trouve une gamme particulièrement étendue d'orchestres et de théâtres. C'est aussi une ville qui aime la lecture: certaines stations de métro sont d'ailleurs équipées de petits marchés au troc où l'on peut échanger des livres, et si le chasseur de votre hôtel se montre un peu distrait, c'est sans doute qu'il est arrivé à un moment crucial de son roman.

Deux des plus prestigieuses universités américaines, Harvard et le MIT, dominent la

Harvard Yard – la plus ancienne et la plus jolie partie de la célèbre université.

ville de Cambridge, «de l'autre côté de la rivière». Les visiteurs voient souvent Cambridge comme une prolongation de Boston, mais c'est une ville indépendante, même si elle n'est située qu'à quelques minutes du Hub en métro. Pour les Bostoniens, leurs voisins universitaires ont toujours la tête perdue dans les nuages; la **7** tendance politique de la ville de Cambridge étant orientée à gauche, on parle de la «République populaire de Cambridge».

La récession de la fin des années 1980 a frappé Boston et la Nouvelle-Angleterre aussi durement que le reste du pays. Mais comme le boom technologique y avait été bien plus prononcé, la chute fut d'autant plus douloureuse.

Les habitants vous parleront de leur restaurant ou bar favori et les boîtes de nuit sont pratiquement bondées tous les soirs. L'accent pointu de la haute bourgeoisie sociale et intellectuelle (qui ressemble à un accent anglais exagéré) résonne dans les élégants restaurants et les salons de thé. Dans les pubs irlandais, les pintes de bière et les chansons paillardes sont plutôt de mise. Quant aux meilleurs restaurants de fruits de mer de Boston, vous aurez du mal à y trouver une place.

Malgré l'apparence mondaine qu'elle s'efforce de se donner, Boston vous séduira par son ambiance très sympathique: c'est une ville chaleureuse qui sait accueillir les visiteurs. Ici, un soda est un «tonic», un milkshake devient un «frappé», des petites singularités que vous saurez apprécier, tout comme ses habitants ont appris à le faire.

Un ours vous accueille devant FAO Schwarz, le meilleur magasin de jouets de Boston.

Un peu d'histoire

À l'origine

Les Indiens Algonquins appelaient «Shawmut» la péninsule sur laquelle se trouve Boston. En 1624, William Blackstone en fut le premier habitant européen. Selon la légende, ce reclus excentrique s'installa à Shawmut avec une réserve de livres et un taureau. En 1630, il invita ses voisins de Charlestown à venir le rejoindre dans l'actuel Boston Common.

Comme les pèlerins qui s'étaient installés quelques années plus tôt à Plymouth (voir p.87), ces voisins avaient fui une petite ville d'Angleterre, appelée Boston, afin d'échapper à l'église anglicane. Mené par John Winthrop, ce groupe – *La Massachusetts Bay Company* (Compagnie de la baie de Massachusetts) – arriva avec sa propre charte royale, un document autorisant l'autogestion. La petite communauté se développa rapidement et la ville devint un port de commerce prospère. Mais le code d'éthique puritaine, qui imposait une existence stricte, importuna vite W. Blackstone, et il partit pour Rhode Island.

Le soulèvement

Charles II accéda au trône de Grande-Bretagne en 1660 et modifia les lois de navigation la même année. Les nouvelles lois protectionnistes stipulaient que les colonies devaient commercer exclusivement avec l'Angleterre. L'autorité royale fut encore renforcée en 1684: la charte originelle de la *Massachusetts Bay Company* fut abrogée et la Nouvelle-Angleterre devint une colonie royale. Deux années plus tard, en 1686, Jacques II nomma sir Edmund Andros premier gouverneur royal de la province du Massachusetts. Le mandat de ce despote fut cependant très bref: il fut balayé avec la Révolution glorieuse de 1689, qui déposa Jacques II.

La ville continua à se développer durant la première moitié du XVIIIe siècle, pour devenir la plus grande cité **9**

REPÈRES HISTORIQUES

1630 La *Massachusetts Bay Company* fonde Boston.

1635 Fondation de Boston Latin, la première école publique des États-Unis.

1636 Fondation de l'université de Harvard.

1686 Le roi Jacques II révoque la charte originelle de la *Massachusetts Bay Company*.

1765 Le droit de Timbre provoque des émeutes.

1767 Les lois Townshend provoquent des émeutes.

1770 Cinq tués lors du «massacre de Boston», le 5 mars.

1773 La *Boston Tea Party*, le 16 décembre.

1775 La guerre d'Indépendance américaine débute le 19 avril par des escarmouches à Lexington et Concord.

1775 Importantes pertes anglaises lors de la bataille de Bunker Hill, le 17 juin.

1776 Les troupes anglaises quittent Boston le jour de l'évacuation, le 17 mars.

1776 La Déclaration d'indépendance est signée à Philadelphie le 4 juillet.

1797 Lancement de l'*USS Constitution* (*Old Ironsides*).

1857 Le remblaiement de Back Bay débute.

1872 Un incendie détruit 765 immeubles du centre-ville.

1875 Naissance du téléphone: Alexander Bell transmet un son de voix par un fil.

1879 Mary Baker Eddy fonde le mouvement de la Science chrétienne.

1897 Le premier métro des États-Unis est inauguré de Boylston Street à Park Street.

1918 Les Red Sox remportent leur dernier championnat du monde de baseball.

1919 Un raz-de-marée de boue North End cause 21 morts dans le North End.

1960 John F. Kennedy, sénateur du Massachusetts, devient président des États-Unis.

1983 Le feuilleton *Cheers*, dont l'action se déroule à Boston, est diffusé pour la première fois.

d'Amérique du Nord. Le commerce maritime était florissant et les commerçants commençaient à concurrencer les pasteurs en tant que dirigeants de la ville. La construction de plusieurs édifices publics, tel le Quincy Market (marché), sur Faneuil Hall Marketplace, remonte à cette époque.

La prospérité de la colonie ne passa pas inaperçue, et quand les coffres du trésor britannique furent asséchés par la guerre de Sept Ans contre la France (1756-1763), George III se tourna vers le Nouveau Monde et créa une série de taxes: taxes sur la soie, le vin et le sucre en 1764, et droit de timbre sur tous les documents officiels et les publications en 1765. Ces impôts, que les colons n'avaient pas voté (n'ayant aucun siège au Parlement), provoquèrent un vif mécontentement et de nombreuses émeutes à Boston.

Cette colère fut à l'origine de la formation d'un groupe de protestataires, toutes classes sociales confondues. Ces «fils de la liberté» comptaient dans leurs rangs un certain Paul Re-

*R*econstitution de la bataille coloniale et exercices militaires d'époque à Lexington et Concord.

vere, artisan, John Hancock, riche homme du monde, et Samuel Adams, leur leader, un idéaliste diplômé de Harvard. Leur cri de ralliement «*Pas de taxes sans représentation*», fut repris en écho par la population. Quand les lois Townshend furent votées en 1767, **11**

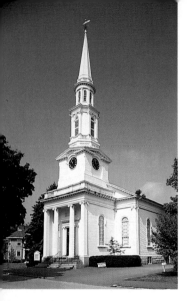

L'église paroissiale sur Lexington Green, où, en avril 1775, eut lieu le premier combat.

des escarmouches opposèrent les soldats britanniques – les *Redcoats* (Tuniques rouges) – aux habitants de la ville.

Le 5 mars 1770, les *Redcoats* ouvrirent le feu sur une foule hostile, tuant cinq personnes. Ce «massacre de Boston» donna à la révolution ses premiers martyrs.

Les lois Townshend furent abolies, mais la taxe sur le thé fut maintenue. En 1773, la *Tea Act* (loi sur le thé) fut votée: pour vaincre la résistance des Bostoniens qui faisaient venir du thé en contrebande, l'Angleterre subventionna son et en inonda le marché américain. Après une série de négociations infructueuses avec le gouverneur, Samuel Adams s'adressa le 16 décembre à une foule réunie à l'Old South Meeting House: *«Messieurs, cette réunion ne peut rien faire de plus pour sauver le pays.»*

Un millier de manifestants se rendirent à Griffin's Wharf, où les fils de la liberté, déguisés en Indiens, envahirent trois vaisseaux et jetèrent 342 caisses de thé dans le port de Boston. La *Boston Tea Party*

imposant un droit d'importation sur des produits de première nécessité comme le papier, le plomb et le thé – la boisson favorite des colons –, le mécontentement ne fit qu'augmenter. L'armée occupa Boston pour rétablir l'ordre, **12** mais la tension restait forte et

constituait un acte de défi auquel les Britanniques répliquèrent par les *Intolerable Acts* («lois intolérables»), ordonnant la fermeture du port et la dissolution du gouvernement local. La confrontation armée semblait dès lors inévitable.

La guerre d'Indépendance

Les colons rassemblèrent alors armes et munitions. En avril 1775, le général Gage, commandant des forces britanniques de Boston, reçut l'ordre d'étouffer la rébellion. Soupçonnant la présence d'un dépôt d'armes à Concord, à 30km à l'ouest de Boston, le général décida de s'en emparer. La suite appartient à la légende. Paul Revere se rendit à Lexington, où il rencontra John Hancock et Samuel Adams. Il poursuivit jusqu'à Concord accompagné de Samuel Prescott et William Dawes. Ils tombèrent dans une embuscade, mais Samuel Prescott s'échappa et parvint à avertir les Minutemen (voir p.83) de l'arrivée des troupes anglaises.

Le joker des patriotes

Les exploits de Paul Revere dans la nuit du 18 au 19 avril 1775, immortalisés par Henry Wadsworth Longfellow dans *La Chevauchée de Paul Revere*, en font le fils préféré de Boston. Paul Revere joua souvent le rôle de messager pour les fils de la liberté. Il fut également un grand propagandiste de la cause, réalisant des gravures provocatrices, dont l'une, très célèbre, représente le «massacre de Boston». Mais c'était avant tout un artisan, orfèvre de métier. Sur son portrait signé John Silverton Copley, exposé au musée des Beaux-Arts, ses ongles sont sales (le musée abrite également quelques-unes de ses plus belles réalisations). Revere fut aussi lieutenant-colonel dans l'artillerie, étireur de cuivre, carillonneur, fondeur de cloches et dentiste, et trouva malgré tout le temps d'engendrer 16 enfants avec deux épouses. Il mourut en 1818, à l'âge de 83 ans.

La guerre commença le jour même, le 19 avril 1775. Les Tuniques rouges tuèrent des Minutemen à Lexington Green; il y eut des victimes de part et d'autre à North Bridge, et des combats éclatèrent lorsque les troupes britanniques retournèrent à Boston. Ce premier jour, 73 Anglais et 49 colons trouvèrent la mort. Durant les semaines suivantes, les troupes coloniales prirent position aux alentours de Boston pour assiéger la ville. Le 17 juin, le général Gage entreprit de briser ce blocus en livrant «la première grande bataille de la révolution» à Breed's Hill, dans la ville de Charlestown, où les colons avaient installé un poste de commandement. À la suite d'une confusion géographique, cet événement est aujourd'hui connu sous le nom de la bataille de Bunker Hill (voir p.39).

Les Anglais sous-estimèrent la détermination des rebelles, et cette bataille, qu'ils remportèrent officiellement, leur coûta un millier d'hommes (et pas le moindre avantage stratégique). Le siège de Boston se poursuivit toute l'année suivante, sous le commandement du général Washington. Le 17 mars 1776, les troupes anglaises, repoussées par l'artillerie de Washington installée à Dorchester Heights, quittèrent Boston. La

La statue du Minuteman, dans la ville de Concord, symbole de la résistance à l'oppression.

guerre se poursuivit jusqu'en 1783, mais Boston n'y participa plus directement.

Les «brahmanes» et le remblaiement

Le commerce maritime connut un grand essor après la révolution, et la production industrielle débuta. La société de Boston était dominée par de riches marchands et industriels, célèbres pour leur tempérance, leur sobriété et leur orgueil. Élite impénétrable, ils furent surnommés les «brahmanes», du nom de la caste indienne.

Ils attachaient une grande importance à la culture et l'on vit apparaître, au XIXe siècle, une multitude d'institutions culturelles. Boston, que l'on surnommait «l'Athènes de l'Amérique», devenait un centre intellectuel important et l'Amérique entière avait les yeux tournés sur elle. La renaissance intellectuelle de la pensée littéraire et philosophique était menée par des écrivains comme Henry Wadsworth Longfellow. La ville fut l'une de celles qui plaidèrent en faveur de l'abolition de l'esclavage, et constitua une étape décisive dans le passage clandestin des esclaves au Canada.

Parallèlement, le visage de la ville changeait, notamment sous l'influence de l'architecte Charles Bulfinch (1763-1844). Le style colonial, dit géorgien (du nom de George III d'Angleterre) s'épanouit; de belles demeures, aux entrées habillées de colonnes, firent leur entrée dans le paysage bostonien.

Avant la révolution, la topographie de Boston n'avait rien d'impressionnant: la ville se trouvait sur une péninsule précaire à l'extrémité d'une fine bande de terre, entourée de marécages boueux et malodorants. Durant le XIXe siècle, la superficie de Boston tripla. Le sommet des trois collines, sur lesquelles la ville se tenait à l'origine, fut aplani et la terre permit de prolonger la côte et de combler les marécages. Les quartiers de Faneuil Hall Marketplace, South End, Bay Village et Back Bay résultent de ces remblaiements. Les travaux du quartier de Back Bay débutèrent en 1857, et **15** durèrent 30 années. Pure merveille victorienne, ce quartier devint le symbole de la prospérité et du prestige de la ville.

Les immigrants

Ces travaux et aménagements, répondaient à l'accroissement rapide de la population. Des immigrants irlandais arrivaient en grand nombre, fuyant la grande famine de 1845-1850. Vivant dans des conditions très précaires – dans des lotissements des quartiers nord et ouest –, ils furent souvent persécutés pour leur foi catholique. Lorsqu'ils commencèrent à quitter leurs taudis vers la fin du XIXe siècle, de nouveaux immigrants, venus d'Italie et d'Europe orientale, débarquèrent par dizaines de milliers.

Les Irlandais avaient une prédilection pour la politique. Depuis 1885, date de l'élection du premier maire irlandais, ce poste leur a rarement échappé. Dans la première moitié du XXᵉ siècle, la vie politique de Boston fut dominée par John F. Fitzgerald («Honey Fitz»), le grand-père du futur président Kennedy, et James Michael Curley, qui effectua quatre mandats à la mairie. Issus de quartiers pauvres, ces hommes défendaient le peuple (même si Curley passa une partie de son quatrième mandat en prison pour fraude).

De nouveaux objectifs

Depuis la révolution industrielle, Boston était toujours restée dans l'ombre de New York sur le plan économique, et commençait à décliner. Pour redonner de l'élan à la ville, un vaste programme de rénovation urbaine fut lancé dans les années 1960, et aboutit à la création du Prudential Center, dans Back Bay, et du Government Center au centre-ville. Un des projets les plus controversés fut la destruction d'un quartier ouvrier de l'ouest, où des rues furent sacrifiées pour des immeubles résidentiels.

La philosophie de la ville est différente aujourd'hui. Plus de 7000 bâtiments sont classés monuments historiques. On a trouvé de nouvelles fonctions aux vieux édifices: l'ancien Natural History Museum est devenu un magasin de vêtements; le Quincy Market est maintenant le Faneuil Hall Marketplace; le port et les chantiers navals abritent des bureaux et des appartements. Après la guerre, Boston n'était plus qu'une petite ville commerciale. Puis, dans les années 1980, la ville et ses centres de recherches furent à la pointe de l'explosion de la haute technologie dans le pays – et on parla de «miracle du Massachusetts». Les gratte-ciel du centre-ville en sont l'héritage. **17**

La bannière étoilée – des milliers d'immigrants affluèrent en quête de prospérité et de liberté.

Que voir

Boston est une ville faite pour la marche. Sa dimension réduite permet de la parcourir en une heure – sans rien manquer de ses différents quartiers si caractéristiques; les ruelles pavées de Beacon Hill, les rues qui serpentent entre les gratte-ciel du centre-ville et les avenues victoriennes de Back Bay ne s'apprécient qu'à pied.

Pour prendre vos repères, allez d'abord admirer la ville du haut de l'observatoire de la John Hancock Tower, ou faites l'une des excursions en trolley de Boston et de ses environs (vous pourrez descendre du trolley puis remonter dans un autre à votre guise).

Si votre séjour est bref, suivez simplement la Freedom Trail (Sentier de la liberté), un

Un pique-nique sous les arbres du Boston Common, le plus ancien parc des États-Unis.

trajet marqué au sol d'une ligne rouge qui relie les différents points d'intérêt. Si vous restez plusieurs jours, découvrez plutôt les quartiers un par un (voir p.20).

Boston Common et Beacon Hill

BOSTON COMMON

Le plus ancien parc public des États-Unis constitue le cœur historique, spirituel et géographique de la ville. Cet endroit était occupé par des vaches jusqu'en 1830, date à laquelles elles furent interdites. Le parc a toujours été un important centre de réunion: à l'époque coloniale, c'était un camp d'entraînement militaire et une base de l'armée. C'est aussi ici que se trouvait l'échafaud. Avec son toit de cuivre, la gare de **Park Street Station** est également un lieu historique: c'est la plus ancienne station de métro du pays.

Avec ses arbres majestueux et ses grands espaces dégagés, ce parc semble totalement naturel. En y passant une heure, vous découvrirez la diversité des habitants de la ville: hommes et femmes d'affaires sillonnant les petites allées de briques rouges, employés se détendant pendant leur pause déjeuner, personnes âgées y prenant le soleil, clochards près du monument aux Soldats et aux Marins de la Guerre civile. Par très beau temps, vous pourrez voir les enfants jouer sous la fontaine du **Frog Pond** (aujourd'hui dépourvu de grenouilles, ce petit lac aurait servi à noyer les sorcières il y a quelques siècles). Dans la soirée, le base-ball, le volley-ball et le tennis prennent la relève. Le Public Garden (jardin public) voisin est décrit p.46.

La State House

Scintillant au-dessus des arbres du Common, vous apercevrez le dome doré à la feuille d'or de la **Massachusetts State House** (capitole du Massachusetts), siège du gouvernement de l'État, qui trône sur la colline. La façade néo-classique

19

BOSTON EN BREF

Que faut-il voir à Boston? Que faut-il faire? Notre sélection des principales attractions ci-dessous vous permettra de profiter au maximum de votre séjour. Pour les musées et les galeries d'art, reportez-vous à la p.52.

Excursions

La *Freedom Trail* (Sentier de la liberté): une ligne rouge au sol relie les célèbres sites et monuments historiques de la ville – édifices publics, églises, salles de réunions, cimetières – qui évoquent l'histoire de l'indépendance américaine. (Voir p.23)

Le *Public Garden* (jardin public): visitez le plus beau parc de Boston avec son superbe jardin botanique, aux coquets parterres de fleurs, et son lac traversé par un pont sous lequel des «swan boats» (gondoles en forme de cygnes) promènent les touristes en été. (Voir p.46)

Beacon Hill: des maisons de briques rouges, aux toits d'ardoise et aux ornements classiques, bordent les pittoresques petites rues pavées de ce quartier classé. (Voir p.22)

Back Bay: un fascinant quartier résidentiel de l'époque victorienne. (Voir p.46)

Le *North End*: ambiance italienne garantie dans des rues animées, bordées d'épiceries odorantes et de pizzerias. (Voir p.36)

Cambridge: des bars à la mode autour de l'Harvard Square, et la beauté très digne de l'Harvard Yard. (Voir p.59)

Panoramas

John Hancock Observatory: panorama unique sur Boston. (Voir p.47)

Promenades au port: pour avoir une vue générale des gratte-ciel du centre-ville. (Voir p.43)

En mer

Observation des baleines: la promenade la plus fascinante depuis Boston. Partez à la recherche des baleines à bosse, des hypérodons et des rorquals. Les compagnies garantissent pratiquement que vous apercevrez l'une de ces magnifiques créatures. (Voir p.44)

Achats

Faneuil Hall Marketplace: un ancien marché transformé en centre commercial touristique; une des attractions les plus populaires de la ville et l'un des exemples de rénovation urbaine les plus réussis du pays. (Voir p.31)

Newbury Street: les boutiques les plus à la mode se trouvent dans la rue la plus chère de Boston, à Back Bay. (Voir p.49)

Filene's Basement: le plus extraordinaire des magasins de soldes au monde offre les prix les plus bas de la ville. Soyez à l'affût des rabais annoncés dans les journaux locaux. (Voir p.35)

Distractions

Match des Red Sox: un «must» pour les amateurs de baseball et les novices. (Voir p.53)

Boston Pops: concerts classiques très populaires proposés par le Boston Symphony Orchestra – une véritable institution. En mai, juin et le 4 juillet. (Voir p.102)

Restaurants et bars

La folie des fruits de mer: Essayez les spécialités maison dans un restaurant de la chaîne Legal Sea Foods. (Voir p.113)

Les cafés: les meilleurs se trouvent sur Hanover Street, dans le North End, et en terrasse sur Newbury Street. (Voir pp.36 et 49)

Les pubs irlandais: essayez le Black Rose près du Faneuil Hall Marketplace. (Voir p.105)

*P*our retrouver l'atmosphère sereine de jadis, allez flâner dans le quartier huppé de Beacon Hill.

bre de différentes teintes. À l'étage, vous visiterez la superbe Chambre des représentants, de forme ovale et ornée de panneaux d'acajou. La célèbre Morue sacrée en bois de pin, qui y est accrochée, rappelle l'importance de la pêche pour l'État. Admirez la Chambre sénatoriale, avec son dôme aux proportions élégantes.

BEACON HILL

Le quartier résidentiel le plus chic de Boston ressemble à un village assoupi, à l'abri des bruits de la circulation et de l'agitation du XXe siècle. Ce quartier fut d'abord prisé en raison de la construction du capitole, et durant la première moitié du XIXe siècle, les riches bourgeois y firent construire des maisons de briques rouges (certaines d'entre elles sont l'œuvre de Bulfinch).

aux colonnes blanches et aux arches de briques, conçue en 1798 par Charles Bulfinch, symbolise la puissance de la vie politique à Boston. La statue de John F. Kennedy, marchant d'un pas décidé, orne la façade ouest du bâtiment.

Au rez-de-chaussée, des statues et des tableaux des personnages et des événements marquants de l'histoire du Massachusetts (et par conséquent, des États-Unis) s'alignent dans une série de salles **22** majestueuses, dallées de mar-

Rien ne semble avoir changé depuis. Quelques notes de musique classique s'échappent parfois des bâtiments couverts de lierre, ornés de volets noirs et de rampes en fer forgé. Les perrons sont dotés de décrottoirs, et des géraniums fleurissent à toutes les fenêtres. Le long des rues verdoyantes aux noms d'arbres (Walnut, Cedar et Willow Streets), les rayons du soleil filtrent jusqu'aux trottoirs pavés de briques.

Charles Street constitue l'artère principale de cette communauté, et attire les amateurs d'antiquités. Des enseignes ouvragées signalent les galeries d'art, les magasins de

Suivez la ligne rouge

La **Freedom Trail** (Sentier de la liberté) serpente au cœur de la ville, reliant 16 sites de l'époque coloniale et révolutionnaire. La ligne rouge étant toujours présente au sol, vous n'aurez pas à vous pencher sur une carte pour trouver votre chemin.

La piste débute à la guérite d'information des visiteurs, sur Tremont Street, et se termine au monument de Bunker Hill, à Charlestown, mais vous ne perdrez rien en commençant ou en terminant votre promenade à n'importe quel endroit, ou même en la faisant en sens inverse.

La longueur de cette promenade est censée être de 4km, mais avec tous ses méandres, elle est sans doute plus longue. Par conséquent, évitez de la parcourir en une seule fois; si vous partez du Boston Common, vous aurez du mal à atteindre l'*USS Constitution* à Charlestown avant sa fermeture.

À l'exception de l'Old South Meeting House et de la maison de Paul Revere, les lieux que vous visiterez sont gratuits. Pour une promenade abrégée, visitez les lieux suivants: le cimetière de Granary, l'Old South Meeting House, (faites un détour par le Boston Tea Party Ship and Museum), Faneuil Hall, la maison de Paul Revere, l'Old North Church, l'*USS Constitution*, et le monument de Bunker Hill.

Une maison typique de Beacon Hill: briques rouges, volets noirs et jardinière avec géraniums.

Street pour visiter l'**African Meeting House** (voir p. 25) et allez jusqu'au 141 Cambridge Street voir l'**Harrison Gray Otis House** (visites guidées du mardi au vendredi, de midi à 17h, et le samedi de 10h à 17h). Les pièces de cette superbe demeure de style fédéral signée Bulfinch, parfaitement restaurées, ont retrouvé l'aspect qu'elles avaient au début du siècle dernier, lorsqu'elles étaient occupées par Harrison Gray Otis et son épouse.

Les plus anciennes fortunes de Beacon Hill se trouvent cependant sur le versant Sud (South Slope), entre Pinckney et Beacon Streets. Aucune adresse n'est plus élégante que celles des deux vagues de maisons aux façades arrondies de **Louisburg Square**. Entrez dans **Nichols House** (au n°55 Mount Vernon Street, ouverte aux visiteurs du mardi au samedi de midi à 17h), et vous verrez l'aspect de l'une des plus belles maisons bourgeoises construites par Bulfinch. Les pièces sont restées exactement telles qu'elles étaient à la mort du propriétaire, en 1960,

meubles, les agences immobilières ou les quincailleries, tous enfouis sous le lierre, ainsi que de nombreux cafés et restaurants. Les plus belles rues de Beacon Hill se trouvent sur la colline, à l'est de Charles Street. Entre Pinckney et Cambridge Streets, North Slope est un quartier résidentiel paisible. Descendez Joy

et sont ornées de meubles de l'époque pré-victorienne. Ne manquez pas **Acorn Street**, la plus jolie de ces rues pavées, si étroite que les voitures ne peuvent pas s'y garer et qui fait le bonheur des photographes.

L'Esplanade

En partant vers l'ouest depuis Charles Street, vous traverserez les Flats, une partie remblayée de Beacon Hill, pour arriver à l'Esplanade, un parc long et

---

La Black Heritage Trail (Sentier de l'héritage noir)

L'esclavage fut déclaré illégal au Massachusetts dès 1783. Par la suite, de nombreux Noirs s'installèrent dans le North End et à Beacon Hill. Un circuit relie les principaux points d'intérêt de l'histoire de la communauté noire à Beacon Hill. Vous pourrez le parcourir à votre rythme, une brochure en main, ou suivre un ranger des parcs nationaux lors d'une visite guidée (tél. 742-5415 pour connaître les heures de départ).

Les visites partent du ROBERT GOULD SHAW AND 54E REGIMENT MEMORIAL, face à la State House (le capitole) sur Beacon Street. Ce monument honore le premier régiment noir et tous les soldats qui périrent lors de la célèbre bataille de la guerre civile. Ces soldats noirs servirent sans être payés jusqu'à ce qu'on leur accorde un salaire égal à celui des soldats blancs. À l'arrière du monument, une inscription émouvante les félicite, ainsi que leurs officiers blancs, pour avoir «combattu aux côtés de soldats d'une couleur qu'ils méprisaient».

L'autre principale étape de cette promenade est l'AFRICAN MEETING HOUSE. La plus ancienne église noire des États-Unis, construite par des Noirs en 1806, se dresse à l'écart de Joy Street. Elle devint bientôt un centre politique et abolitionniste – c'est ici que fut fondée la Société anti-esclavagiste de Nouvelle-Angleterre, en 1832 – ce qui lui valut le surnom de Black Faneuil Hall. Au rez-de-chaussée, l'Afro-American History Museum présente des manuscrits historiques et des œuvres d'artistes noirs contemporains.

25

étroit qui longe Charles River. C'est là que les habitants de Boston viennent faire du sport – jogging, marche, patin à roulettes, cyclisme. Quand le soleil brille, on y voit aussi des amateurs de bronzage et des peintres qui s'efforcent de capter sur leur toile le paysage changeant de la rivière. Les **Boston Pops**, concerts très prisés, se déroulent au Hatch Memorial Shell – de style Art déco – en juillet; la représentation du 4 juillet est toujours mémorable (voir p.102).

Sanctuaire pour un feuilleton

Le Bull and Finch (jeu de mots sur le nom du plus célèbre architecte de la ville) est très populaire à Boston. Situé sur Beacon Street, face au Public Garden, il est surtout connu sous le nom de *Cheers*. C'était un bar de quartier tout à fait ordinaire jusqu'à ce que deux producteurs hollywoodiens s'y arrêtent il y a une vingtaine d'années et décident d'en faire le cadre d'un feuilleton qui allait connaître un succès fantastique. Les habitués évoquent désormais deux périodes: l'avant et l'après *Cheers*.

Le bar que l'on voit dans le feuilleton est assez différent de la réalité, même si les murs de briques et les lampes Tiffany ont été reproduits en studio. Le bar est toujours comble, attirant notamment beaucoup de touristes. La foule s'y presse en particulier chaque jeudi à 21h, car des épisodes du feuilleton sont alors diffusés dans le bar. Pour être plus tranquille, allez-y plutôt aux environs de 16h.

Downtown (centre-ville)

Ce quartier, cœur commercial et financier de la ville, est loin d'être homogène: entre le très austère Government Center et l'animation du Faneuil Hall Marketplace, au nord, et Chinatown, au sud, s'étendent des tours de verre, des édifices Art déco et des grands magasins à l'ancienne. Certains vestiges historiques ont survécu à l'incendie de 1872 et nous rappellent que ce labyrinthe compact de rues étroites n'était qu'un ensemble de ruelles boueuses il y a deux siècles.

L'ANCIEN ET LE MODERNE

Une partie de la Freedom Trail traverse le centre-ville, depuis l'angle nord-est du Boston Common.

L'église de **Park Street Church** se dresse sur un site surnommé Brimstone Corner («l'Angle du soufre»). Selon certains, ce nom proviendrait des sermons très virulents des prêcheurs congrégationalistes; pour d'autres, il évoquerait les réserves de poudre qui y étaient entreposées pendant la guerre de 1812. L'église, de style géorgien, fut construite en 1809 à l'emplacement d'un entrepôt de grain. Son superbe clocher de 66m de haut à trois niveaux fut inspiré d'un dessin de Christopher Wren.

Une oasis de paix s'étend derrière l'église, à l'écart de l'animation de Tremont Street. Le **cimetière de Granary** abrite les dépouilles des héros de la révolution: Paul Revere, John Hancock, James Otis, Samuel Adams et les victimes du «massacre de Boston». Un plan, tout près de l'entrée, indique l'emplacement des tombes célèbres. Comme dans tous les vieux cimetières de la ville, beaucoup de tombes sont délicatement sculptées de crânes, d'ossements et d'autres symboles mortuaires. Les pierres tombales ont été déplacées au fil des années et ne marquent pas l'emplacement exact des morts; en outre, il arrive que plus de 20 corps soient enterrés sous une même pierre.

En poursuivant vers le nord sur Tremont Street, vous arriverez à la **King's Chapel** (du mardi au vendredi de 10h à 14h; l'été, du mardi au samedi de 10h à 16h). Les puritains refusant de vendre un terrain à la religion anglicane, cette église dut être construite sur une parcelle de terre appartenant au cimetière voisin. Son intérieur, étonnamment décoré, présente des prie-Dieu somptueusement tapissés – notamment celui du gouverneur – dans des stalles conçues pour protéger les fidèles des courants d'air. Vous y verrez la plus ancienne chaire des États-Unis.

Le **cimetière de King's Chapel**, tout proche, est le plus ancien de la ville. C'est ici que sont enterrés William Dawes, messager méconnu de

la chevauchée nocturne vers Lexington (voir p.13) et John Winthrop, premier gouverneur de la colonie.

Suivez la ligne rouge le long de School Street. Fondée en 1635, la plus ancienne école des États-Unis est commémorée par une mosaïque devant l'ancien hôtel de ville, où elle se tenait à l'origine (elle se trouve désormais dans le Fen-way). Benjamin Franklin, dont la statue orne ce lieu, en fut l'un des premiers étudiants. L'ancien hôtel de ville (remplacé par le Government Center) abrite aujourd'hui un bon restaurant français.

Hô Chi Minh travailla autrefois dans les cuisines de l'Omni Parker House, à l'angle de Tremont Street, et Malcolm X y fut serveur. C'est le plus ancien hôtel des États-Unis.

Le magnifique bâtiment de briques rouges, au pied de School Street, au toit «en croupe» large et incliné, fut construit au début du XVIIIe siècle. Il accueille la librairie **Globe Corner Bookstore**, jadis surnommée «Old Corner Bookstore»; c'est ici que furent publiés des géants de la littérature comme Emerson, Longfellow et Dickens.

Juste en face, sur Washington Street, des tours monumentales étouffent le clocher

Une excursion dans le port de Boston offre une splendie vue sur les gratte-ciel de la ville.

29

lographiques apparaissent au son d'un enregistrement du débat sur la taxe sur le thé.

Plus loin dans Washington Street, vous rejoindrez le quartier commerçant du centre-ville (voir p.98), où la Freedom Trail fait demi-tour pour revenir vers l'**Old State House** (ancien siège du gouvernement). Ce bâtiment grossier, en briques, dont le clocher ressemble à une pièce montée, était le centre de la vie politique à l'époque coloniale, et devint le capitole de l'État après la révolution. La Déclaration d'indépendance fut lue à la population le 18 juillet 1776 depuis le balcon de la Chambre du conseil, au premier étage. Le lion d'or et la licorne d'argent placés au-dessus, symboles de la couronne britannique, sont des répliques des originaux qui furent détruits ce même jour. À l'intérieur, des

effilé de l'**Old South Meeting House**. C'est ici que la foule se rassembla, le 16 décembre 1773, pour protester contre la taxe sur le thé, et que Samuel Adams donna le signal qui allait déclencher la *Boston Tea Party*. Durant le siège de la ville, les Anglais profanèrent l'église, mais celle-ci a été soigneusement restaurée. C'est l'une des meilleures étapes de la Freedom Trail: l'aspect historique de la salle entourée de balcons a été entièrement préservé, et des personnages ho-

expositions et des souvenirs détaillent l'histoire révolutionnaire de Boston.

Devant l'Old State House, ne manquez pas de regarder les pierres qui marquent l'emplacement du «**massacre de Boston**», où, le 5 mars 1770, les soldats britanniques ouvrirent le feu sur une foule en colère, faisant cinq morts (voir p.12). Les propagandistes antibritanniques profitèrent largement de cet incident, comme en témoigne la célèbre gravure de Paul Revere.

FANEUIL HALL MARKETPLACE

Cet ancien marché rénové, très commerçant, mais d'une grande élégance, attire chaque année 14 millions de visiteurs.

Portant le nom de son bienfaiteur, le commerçant huguenot Pierre Faneuil, **Faneuil Hall** (prononcer *faneul, fan'l* ou *feunel*) date de 1742. Son ornement le plus célèbre est la girouette scintillante en forme de sauterelle de son clocher, qui fut longtemps le symbole de la ville. À l'époque de Bul-

*L*e Faneuil Hall est un endroit idéal pour feuilleter le journal ou observer les passants.

finch, le marché couvert, devenu trop étroit, fut agrandi de façon conséquente en 1806. L'intérieur abrite un marché au rez-de-chaussée (actuellement en restauration), mais le principal centre d'intérêt se trouve au premier étage, dans la superbe salle de réunions aux multiples galeries, entourée de colonnes blanches et ornée de tableaux de célèbres peintres **31** américains. De nombreux débats importants s'y déroulèrent à l'époque révolutionnaire, et Samuel Adams et d'autres y firent bien des discours. Le bâtiment fut surnommé le «berceau de la liberté». Il est toujours resté un forum politique, accueillant des réunions anti-esclavagistes et féministes, et bien des campagnes politiques contemporaines sont parties de cet endroit. L'Ancient and

Honorable Artillery Company – la plus ancienne milice des États-Unis, fondée en 1637 – aujourd'hui purement symbolique, possède son musée (ouvert du lundi au vendredi, de 10h à 16h) au grenier. Vous y admirerez différents souvenirs militaires, comme des mousquets et des drapeaux.

Lorsque les longs bâtiments de **Quincy**, **North and South Markets**, attenant à Faneuil Hall, furent construits en 1826, ils se trouvaient au bord du port. Les Bostoniens les plus âgés se souviennent de l'odeur de viande avariée qui émanait de ces édifices par les chaudes journées d'été. Dans les années 1970, au lieu de démolir les bâtiments insalubres, on entreprit un colossal programme de rénovation pour transformer l'ancien marché en un vaste centre commercial appelé Faneuil Hall Marketplace. Aujourd'hui, des échoppes et

Le commerçant huguenot Pierre Faneuil serait enchanté du succès que connaît son marché.

des parasols égaient les bâtiments de briques et de granit. Des foules de touristes viennent admirer les spectacles des rues et, le soir, le quartier bourdonne de restaurants animés, de bars et de clubs de jazz.

Vous pourrez prendre place à l'une des tables d'un établissement de l'ancien marché, le **Durgin-Park**, et goûtez à sa cuisine américaine classique.

LE GOVERNMENT CENTER

Si l'on peut faire une remarque agréable à propos du Government Center, c'est sans doute que sa laideur a contribué au sauvetage miraculeux du Faneuil Hall Marketplace voisin. Dans les années 1960, un programme de rénovation urbaine rasa entièrement le quartier ancien, mais typique, de Scollay Square, pour le remplacer par des espaces sans âme et des édifices modernes, comme l'hôtel de ville – pyramide de béton – et sa place.

Le seul point d'attrait de ce quartier est la gigantesque **Steaming Kettle** («bouilloire fumante»), placée au-dessus de la porte du café du même nom, au sud de la place. Cet emblême, tout à fait approprié pour une ville dont le passé est lié de si près au thé, fut commandé par l'Oriental Tea Company en 1873. Sa capacité (quelque 868 litres) est indiquée sur le côté.

BLACKSTONE BLOCK

Au nord de la place, une enseigne au néon vante le plus ancien restaurant de Boston, l'**Union Oyster House**. Le bâtiment date de 1713, et le restaurant de 1826. Même si vous ne pensez pas y manger, jetez un coup d'œil par la vitre pour admirer l'adresse des écaillers (on peut ouvrir ici quelque 4000 huitres par jour en période d'affluence).

Le restaurant fait partie du Blackstone Block, un minuscule quartier fait de vieux bâtiments commerciaux en briques, divisés par des ruelles étroites. Cherchez la pierre de Boston, encastrée dans le mur d'un magasin de souvenirs de Marshall Street. Autrefois utilisée **33** pour extraire de la peinture des pigments, elle fut installée ici en 1737, pour servir, dit-on, de point de repère.

Ne manquez pas le marché coloré de fruits et de légumes qui se tient le vendredi et le samedi au Haymarket, juste derrière Blackstone Block.

GRATTE-CIEL ET MAGASINS

Le centre-ville ne se caractérise pas par de grands monuments ni par des édifices très voyants: comparés à ceux de New York ou Chicago, les gratte-ciel de Boston sont discrets. Ils restent néanmoins impressionnants, vus notamment depuis le port (voir p.43).

Pour les admirer de près, dirigez-vous vers le centre-ville un matin ou un après-midi en semaine, lorsque les hommes d'affaires et les employés s'y déplacent à pas rapides. **State Street** était autrefois l'artère principale entre le port et l'Old State House. Elle symbolise maintenant le boom économique des années 1980, avec la tour de verre brillant de la bourse (au 53 Exchange Place) et son escalier de marbre monumental, ou l'atrium de marbre du n°75. À l'extrémité de State Street, du côté du port, se tient la **Custom House Tower** (Tour de la douane): au pied, une sorte de temple grec édifié au XIXe siècle est surmonté par une tour qui fut le premier gratte-ciel de la ville en 1917.

Pour admirer les bâtiments du centre-ville, dirigez-vous vers le triangle de verdure de Post Office Square. Avec ses murs en escaliers et ses ornements Art déco, le **New England Telephone Building**, à l'extrémité sud de la place, est particulièrement fascinant. Le hall célèbre l'histoire prolétarienne du téléphone sur une peinture murale de 360 degrés. Vous pourrez aussi voir une petite pièce qui reproduit le grenier où Alexander Bell transmit pour la première fois des sons par ondes électriques en 1857, tout près d'ici, dans Court Street. (Ouvert du lundi au vendredi, de 8h30 à 17h.)

Les centres commerciaux de la ville dépassent désormais le **Downtown Crossing**, au carrefour de Washington, Summer et Winter Streets, mais c'est ici que l'on trouve les grands magasins célèbres comme Jordan Marsh et Filene's basement (voir encadré ci-dessous). Il est difficile d'imaginer que la rue piétonne de Washington Street était, avant les travaux de remblaiement, l'unique artère reliant l'Old State House au sud, à l'extrémité de la péninsule de Shawmut. Certaines boutiques élégantes se dissimulent dans les petites allées, comme le célèbre café Locke-Ober, situé sur Winter Place, qui sert, depuis plus d'un siècle, des plats traditionnels à des hommes d'affaires fortunés.

À la pointe sud de Washington Street, les magasins de disques à prix discount cèdent peu à peu la place à des sex-shops et à des bars douteux; c'est la **Combat Zone** (zone de combat), où vous ne risquez rien dans la journée, mais qu'il vaut mieux éviter la nuit.

On dit qu'il y a plus de 50 restaurants à **Chinatown** (entre Washington, Essex, Kneeland Streets et l'Expressway). Même si vous n'avez pas l'intention d'y manger, il est intéressant de s'imprégner des odeurs et des visions typiques de cette communauté qui a su préserver sa culture. Bijoutiers, pâtissiers, magasins de vêtements et épiceries chinoises se côtoient, les cabines téléphoniques sont en forme de pagodes et de grandes enseignes au néon vantent les différents bars et restaurants.

Le Basement

Filene's basement (sous-sol) est le plus ancien magasin de soldes des États-Unis (à ne pas confondre avec l'élégant rez-de-chaussée). On y trouve surtout des vêtements, généralement loin d'être démodés. Les prix, initialement bas, sont parfois réduits de 75%. Après 35 jours, les articles invendus sont offerts à des œuvres de charité. Vous trouverez les dates des principales soldes dans les journaux de Boston.

✓ Le North End

UN QUARTIER D'AMBIANCE

Dans le quartier le plus étonnant de Boston, les T-shirts proclament: «FBI – Full Blooded Italian» (Italien pur sang), ou «La vie est trop courte pour ne pas être italien». Des restaurants, souvent ornés de tableaux représentant le village du propriétaire, annoncent *«Mangia calimari»*, ou «50 façons de déguster les pâtes». Les cafés, exhibant leurs machines à *espresso*, prétendent tous au «meilleur tiramisu».

Le plus ancien quartier de la ville connaît une grande prospérité. Après ses débuts bourgeois à l'époque coloniale, il devint une zone de taudis au bord du port au XIXe siècle, à mesure que les immigrants – irlandais, juifs et portugais – s'y installaient puis partaient vers de meilleurs horizons. Dans les années 1920, les Italiens y restèrent, et firent de cet endroit l'agréable communauté qu'elle est aujourd'hui.

Reprenez la Freedom Trail jusqu'à **Hanover Street**, la grande artère commerçante du North End. Le vaste Caffè Vittoria, au n°296, est particulièrement animé. L'autre artère typique du North End est **Salem Street**, juste au nord de Hanover. Ses charcuteries dans les petites ruelles regorgent toutes de pâtes et de salami, les kiosques à journaux y vendent le *Corriere della Sera* et *La Gazzetta dello Sport*, et chez Bova, une excellente pâtisserie ouverte 24h sur 24 au n°134, on déguste de savoureux gâteaux.

LES CURIOSITÉS

La très coquette **Paul Revere House**, avec sa façade en bois, sur le joli North Square, est la plus ancienne maison de Boston. Elle fut construite exactement un siècle avant que le plus célèbre patriote américain ne l'achète en 1770. Avec ses marches qui grincent et ses poutres, elle ressemble à un cottage. Au rez-de-chaussée, la cuisine et le hall sont garnis de meubles du XVIIe siècle, tandis que les deux chambres de l'étage contiennent quelques meubles qui appartinrent à Paul Revere lui-même.

Nathaniel Hichborn, voisin et cousin de Revere, habitait la **Pierce-Hichborn House**, l'un des premiers édifices en briques de la ville, de style géorgien. Deux visites sont prévues par jour (renseignez-vous auprès de la Paul Revere House, au 523-2338).

Sur Hanover Street, on retrouve **St Stephen's Church** (église St-Stephen), seule église construite par Charles Bulfinch qui ait survécu à Boston.

Feste à l'italienne

Les fêtes auxquelles vous assisterez, dans le quartier de North End, durant les week-ends d'été, ne seraient pas déplacées sur une place de Sicile ou de Toscane. Pour la célébration des saints patrons des villages d'Italie (dont sont originaires les habitants du North End), les rues s'habillent de guirlandes et de lumières. Le soir, on entend un orchestre traditionnel de cuivres. Des mamas italiennes vendent des billets de loterie, épinglant les revenus sur les rideaux qui entourent la statue du saint, tandis que les enfants jouent aux fléchettes et au basketball. Des échoppes proposent des calzone, des bâtonnets de mozzarella et des boulettes de viande maison. La grande procession a lieu le dimanche lorsque les hommes transportent la statue du saint sur leurs épaules dans tout le quartier, tandis que les spectateurs jettent des confettis et des ballons.

37

Elle domine le **Paul Revere Mall**, que les Bostoniens ont surnommé le Prado. La statue de Paul Revere sur un cheval au galop, surgissant du feuillage le long du clocher de l'Old North Church, est l'une des vues les plus photographiées de la ville. Les habitants du quartier bavardent, bien installés sur des bancs de pierre, tandis que les touristes étudient les plaques de bronze, le long des murs de briques, qui rendent hommage aux célèbres fils du North End.

Non seulement l'**Old North Church** (de son vrai nom Christ Church) est la plus ancienne église de la ville, mais c'est aussi la plus célèbre et la plus belle. Son fameux clocher (reconstruit en 1955), éclairé la nuit, est visible depuis le centre-ville. C'est ici que le 18 avril 1755, le sacristain Robert Newman, suivant les instructions de Paul Revere, alluma deux lanternes («une si l'attaque vient de la terre, deux si elle vient de la mer») pour avertir la population de l'attaque des Anglais par la mer, une pratique perpétuée depuis par les descendants de Revere

et Newman chaque année, à la veille du *Patriot's Day*. L'intérieur de l'église, blanc et bordé de galeries, est resté tel qu'il était à l'époque, avec ses superbes prie-Dieu appartenant aux paroissiens et ses beaux lustres de cuivre brillant.

La dernière halte de la Freedom Trail dans le North End vous conduira au **cimetière de Copp's Hill**, le plus joli des anciens cimetières de Boston, bien qu'il n'abrite pas de tombes très célèbres. Lors de la bataille de Bunker Hill, les canons anglais tirèrent sur Charlestown depuis ce cimetière: les éclats sur les pierres tombales sont encore visibles.

En vous dirigeant le long de Commercial et de Causeway Streets, vers l'ouest, après le North End, vous parviendrez à la gare de North Station et au **Boston Garden**, la salle fétiche des Celtics (basket-ball) et des Bruins (équipe de hockey sur glace). Une visite guidée d'une heure environ (ouvert tous les jours de 10h à 17h) compensera en partie l'absence de match (une nouvelle salle ouvrira en 1995).

Charlestown

La ville de Charlestown fut fondée en 1629, un an avant Boston. Elle fut pratiquement détruite lors de la bataille de Bunker Hill, mais les maisons de briques et de bois furent ensuite rebâties sur le même site. Elles abritent aujourd'hui les classes moyennes, et la ville fait un excellent but de promenade. L'obélisque de 67m du **Bunker Hill Monument** (monument de Bunker Hill) commémore la première bataille de la révolution, livrée le 17 juin 1775 – une victoire amère pour les Britanniques, qui perdirent beaucoup de soldats (voir p.14). Le monument se trouve en fait sur Breed's Hill, où se tenaient les révolutionnaires durant la bataille. À sa base, on peut voir une statue fanfaronne du colonel américain Prescott, qui ordonna à ses soldats: «*Ne tirez pas tant que vous ne voyez pas le blanc de leurs yeux*». Des maquettes instructives décrivent la progression de la bataille et on peut assister, toutes les heures, à des démonstrations de tir au mousquet. Si vous escaladez les 294 marches de pierre jusqu'au sommet, vous serez peut-être déçu de découvrir que vous ne pouvez pas sortir à l'air libre, mais la vue est tout de même splendide. Au pavillon de Bunker Hill, entre le chantier naval et le pont de Charlestown, un spectacle de 30min recrée la bataille.

Les membres de l'équipage de l'USS Constitution organisent des visites guidées du navire.

La principale attraction du chantier naval de Charlestown, au pied de la colline, est le très vénérable *USS Constitution*. Appelé l'*Old Ironsides* («vieux flancs d'acier») parce que les boulets de canon rebondissaient contre sa coque de chêne, c'est le plus ancien bateau de guerre au monde. L'*USS Constitution* futt lancé en 1797. Des visites guidées sont organisées par des marins qui vivent à bord; le bateau est en cale sèche et dépourvu de ses canons, de ses mâts et de ses voiles, et vous ne pourrez en apercevoir que les ponts, mais la visite est intéressante (prévoyez une longue attente en été). Le 4 juillet, le bateau est remis à l'eau pour une croisière autour du port.

Le **Constitution Museum** (musée du Constitution) fait revivre ses plus célèbres batailles et décrit les conditions de vie à bord. On peut aussi visiter un destroyer de la Seconde Guerre mondiale, l'*USS Cassin Young*. Les rangers organisent des visites du chantier naval, vendu en 1974 et dont une bonne partie a été transformée en immeubles de bureaux.

Il y a trois manières de se rendre à Charlestown: en suivant la Freedom Trail (15min de marche de Copp's Hill au chantier naval), en bateau-navette depuis le Long Wharf, ou en métro, par la ligne orange, jusqu'à Community College (10min pour rejoindre le monument de Bunker Hill).

LE FRONT DE MER

Des jetées avancent dans le port depuis le centre-ville et le North End comme les épines d'un hérisson. À une certaine époque, le port de Boston était le deuxième plus actif du pays. Après une longue période de déclin, on a utilisé des techniques de «recyclage» similaires à celles du Faneuil Hall Marketplace pour convertir les entrepôts de granit en bureaux, appartements, restaurants et hôtels, et les yachts de plaisance ont supplanté les vaisseaux commerciaux. Avant le remblayage, **Long Wharf** débutait près de l'Old State House et mesurait 500 mètres de long. Des compagnies de croisière proposent diverses promenades dans le port et des excursions d'observation des baleines.

L'**aquarium de Nouvelle-Angleterre**, sur Central Wharf, est extraordinaire. Le principal point d'attrait est un immense réservoir d'eau de mer plein de requins, de tortues de mer, de coraux et de multiples poissons, que vous contournerez en gravissant une rampe. Des aquariums plus petits installés sur les côtés reproduisent plusieurs habitats: un marais salant, un marécage tropical, ou encore un port de Nouvelle-Angleterre où vous pourrez toucher des crabes et des étoiles de mer. Dans la salle des océans du Nord, vous pourrez voir des pieuvres, des homards et des coquilles Saint-Jacques. Des spectacles de dauphins et d'otaries sont proposés plusieurs fois par jour.

En poursuivant en direction du sud, vous arriverez bientôt à **Rowe's Wharf**. Allez dîner

Les pingouins se sentent très à l'aise dans les eaux de l'Aquarium de Nouvelle-Angleterre.

Les nouveaux fils de la liberté défendent leur droit à l'indépendance, au thé et au tourisme!

lesquels les patriotes, déguisés en Indiens, détruisirent 342 caisses de thé le 16 décembre 1773 (voir p.12). Le **Boston Tea Party Ship and Museum** vous invite à explorer les ponts et la soute du *Beaver II*, et même à jeter par-dessus bord une caisse de thé accrochée à une corde. Un musée, sur la petite jetée voisine, vous renseignera sur les raisons politiques de cet incident.

Deux magnifiques musées vous attendent de l'autre côté de Fort Point Channel. Une énorme bouteille de lait rouge et blanche de 12m de haut vous donnera déjà une idée du premier. Le **Children's Museum** (musée des Enfants) est à la fois un grand terrain de jeux et un centre d'instruction très stimulant. Ici, on peut toucher à tout: les enfants escaladent d'étranges sculptures, font des bulles de savon, et jouent à la

à l'hôtel Boston Harbor, ou à bord d'un des bateaux de croisière qui partent de la marina.

Le Fort Point Channel se divise au centre-ville à partir de South Boston (qui s'étend d'ailleurs vers l'est). Les voiles du *Rigger II*, près de l'un des ponts rouillés qui bordent le canal, semblent anachroniques dans un cadre si moderne. Le brick fut en fait construit en 1973 au Danemark, et traversa l'Atlantique à l'occasion du 200e anniversaire de la *Boston Tea Party*. C'est une réplique de l'un des trois bateaux sur

marelle chinoise ou italienne sur le Kid's Bridge – une introduction aux multiples cultures de Boston. La partie la plus originale du musée est une maison japonaise entièrement reconstituée, avec cuisine, salle de bains et odeurs authentiques, et Teen Tokyo, où vous prendrez le métro et assisterez à un combat de Sumo.

Le **Computer Museum** (musée de l'Ordinateur) voisin est fascinant. Cette promenade à travers l'histoire de l'ordinateur montre le développement de la technologie au fil des années jusqu'à nos jours. Une visite à l'intérieur d'un ordinateur de bureau agrandi 50 fois vous permettra de voir en détail le fonctionnement de l'appareil, tandis qu'une vidéo vous expliquera comment une idée humaine aboutit à un logiciel informatique. Vous pourrez créer une voiture, composer de la musique, ou préparer un mariage sur de multiples ordinateurs interactifs. À l'étage, des appareils très perfectionnés exécutent des dessins, et des robots font une démonstration de leurs capacités.

Au fil de l'eau

Par une belle journée, une excursion dans le port de Boston est idyllique. Les formes rectangulaires, tubulaires et pyramidales des gratte-ciel de la ville sont magnifiques. Le port fourmille de yachts, de horsbords, de remorqueurs et de bateaux de pêche, tandis qu'un flot régulier d'avions descend vers les pistes de l'un des aéroports les plus actifs du monde.

LES ÎLES DU PORT

En arrivant à l'extrémité du port, le paysage urbain cède la place à des petits îlots verts (une trentaine en tout). De nombreux goélands survolent les refuges des homards et se perchent sur des promontoires rocheux; les bouées et les petits phares se multiplient.

Il n'y a pas grand chose à voir ni à faire sur les sept îles pratiquement désertes qui forment le parc d'État de Boston Harbor Islands, mais vous pourrez vous y reposer tout un après-midi loin de l'animation de la ville. À l'exception du **43** bruit constant des avions qui les survolent, ces îles sont paisibles – bien loin des brillantes lumières de la ville qui scintillent joliment à l'horizon. Elles se prêtent merveilleusement aux promenades tranquilles, aux pique-niques et à l'observation des oiseaux. De mai à la mi-octobre, la Bay State Cruise Company (tél. 723-7800) gère un service efficace de ferries de Long Wharf à **George's Island**, l'île principale. Vous pourrrez y boire de l'eau douce et vous y trouverez même un snack-bar. L'île est en grande partie occupée par Fort Warren, une forteresse du XIXe siècle en forme d'étoile où les prisonniers confédérés étaient détenus pendant la guerre de Sécession. C'est un lieu assez inquiétant, avec ses anciens emplacements de canons, ses miradors et ses couloirs très froids.

Vous pourrez atteindre cinq autres îles – Peddocks, Lovells, Bumpkin, Gallops et Grape – par une navette gratuite depuis George's Island de juillet au début septembre. L'île de Lovells est la seule qui soit dotée d'une plage aménagée pour la baignade. Pour tous renseignements concernant le camping, reportez-vous p.120.

À LA RECHERCHE DES GÉANTS DES MERS

Une excursion d'observation des baleines ressemble un peu à un match de baseball: de très longues périodes d'inactivité ponctuées de quelques instants d'incroyable passion. D'avril à octobre, vous pourrez voir des dizaines de bateaux quitter les ports de Boston et d'autres villes de Nouvelle-Angleterre et se diriger vers Stellwagen Bank, où les baleines viennent se nourrir dans les eaux poissonneuses et pleines de plancton, avant de migrer vers le climat plus chaud des Caraïbes. Depuis Gloucester et Provincetown, le trajet est plus court et vous passerez plus de temps sur place. Pour de plus amples renseignements concernant les différentes excursions, reportez-vous p.126.

On voit surtout des baleines à bosse, mais peut-être rencontrerez-vous l'énorme rorqual

(le deuxième par la taille après la baleine bleue, avec 24m de long). Vous serez (pratiquement) assuré d'apercevoir au moins une baleine. Elles sont généralement plus nombreuses par mauvais temps. Lorsque l'accompagnateur, souvent un spécialiste de la nature, aperçoit un cétacé, tout le monde se précipite du même côté du bateau, qui tangue soudainement, puis se dirige avec espoir vers la gerbe révélatrice, et tout à coup, dans l'eau verdâtre, vous apercevrez un flanc argenté presque sous le bateau. L'éclair d'un dos arrondi, le

Si vous avez le privilège de voir une baleine, vous en garderez un souvenir impérissable.

mouvement nonchalant d'une queue en forme de V, et l'animal disparaît vite, ne laissant qu'une sorte de tache d'huile à la surface – la marque de sa queue. Mais vous aurez vu une baleine et repartirez chez vous enchanté. La prochaîne fois, vous aurez peut-être la chance d'apercevoir un cétacé en train de bondir hors de l'eau. **45**

Back Bay

Au milieu du XIXe siècle, la ville de Boston s'achevait au Boston Common, et Back Bay n'était qu'un terrain marécageux. En l'espace de 30 ans, un énorme projet de remblaiement en fit le quartier à la mode, et offrit un espace vital bien nécessaire à la ville surpeuplée. Les Bostoniens aisés quittèrent Beacon Hill et le South End pour s'y installer.

Contrairement à la «vieille» ville avec ses petites ruelles tortueuses, Back Bay fut soigneusement conçue selon un plan régulier inspiré des boulevards de Paris. Sa zone résidentielle, au nord de Boylston Street, offre aujourd'hui l'un des plus beaux exemples d'architecture victorienne du pays.

OISEAUX RÉELS ET SCULPTÉS

Le **Public Garden** est beaucoup plus joli que son voisin, le Boston Common (voir p.19). Financé uniquement par des donations privées, le premier jardin botanique des États-Unis abrite une merveilleuse variété d'arbres rares, des pelouses verdoyantes et des parterres de fleurs colorés. Des saules pleureurs se penchent au-dessus du lagon, sur lequel vous pourrez faire une promenade somnolente durant l'été, à bord d'un Swan Boat – jolie gondole en forme de cygne –, actionné par un jeune homme ou une jeune femme assis à

M_{rs} Mallard conduit les petits canards qui célèbrent un conte populaire pour enfants.

l'arrière. En hiver, les cygnes cèdent la place aux patineurs.

Les sculptures travaillées et les petites fontaines du jardin méritent une visite. La statue la plus récente et la plus admirée est le bronze représentant Mrs Mallard et ses sept canetons (tout près de l'entrée de Charles et Beacon Streets), en hommage à un conte de Robert McCloskey relatant les difficultés rencontrées par une famille de canards à Boston. Avant de poursuivre, pourquoi ne pas prendre le thé au Ritz? Le plus célèbre hôtel de la ville domine le jardin.

ÉGLISES ET GRATTE-CIEL

Depuis le Public Garden, Boylston Street conduit au quartier du commerce et des affaires de Back Bay. Suivez brièvement la rue, jusqu'à **Copley Square**, un lieu très populaire de concerts où les enfants aiment à se retrouver l'été pour patauger dans la fontaine.

Vous aurez déjà visité la **John Hancock Tower** élancée, en verre bleuté. La plus haute tour de la Nouvelle-Angleterre domine tous les gratte-ciel de la ville. Deux de ses façades sont très fines, et depuis certains lieux de la ville, elle semble littéralement se fondre dans le paysage. Lors de sa construction, en 1976, les vitres bleues avaient tendance à tomber: chaque vitre dut être remplacée. Par temps clair, montez jusqu'à l'**observatoire** – le meilleur moyen de vous familiariser avec la topographie particulière de Boston. Une maquette de la ville telle qu'elle était en 1775 vous permettra de voir toute la surface qui a été gagnée sur l'eau.

Certains craignaient que la tour n'éclipse l'église voisine, mais la fière stature de Trinity Church, qui se reflète désormais dans le verre de la tour, n'en a été que soulignée. L'église, conçue en 1877 par Henry Hobson Richardson, alors le plus grand architecte américain, est grandiose, en totale harmonie avec les aspirations de Back Bay à cette époque. Son style plagie celui des églises romanes de France, à la fois par son extérieur rustique et par son intérieur, élaboré par **47**

John La Farge, orné de fresques et de vitraux.

Si les travaux de restauration le permettent, faites un petit tour dans la **Boston Public Library** (ou BPL), située face à l'église, de l'autre côté de la place. Cette superbe bibliothèque abrite un double escalier de marbre menant à une immense salle de lecture voûtée, et au deuxième étage, on peut admirer une série de peintures murales signées John Singer Sargent.

Copley Place, sur Huntington Avenue, est un ensemble aussi monumental qui abrite deux hôtels de 1000 chambres, une centaine de boutiques, et des milliers de mètres carrés de bureaux et d'appartements. Une passerelle aérienne le relie au **Prudential Center**. (Le «Pru» fut à l'origine créé par l'architecte I. M. Pei). Après avoir fait les magasins, montez jusqu'au bar-restaurant Top of the Hub, et rejoignez sa terrasse, d'où vous aurez une très

Malgré la taille de la tour John Hancock, le passé à Boston ne sera jamais oublié.

belle vue sur la Hancock Tower (ouvert de 10h à 22h du lundi au samedi, et de midi à 22h le dimanche).

La visite du **Christian Science Church Center** (Centre de la science chrétienne), un peu plus loin sur Huntington Avenue, ne vous semble peut-être pas très attrayante. Il est vrai que les bâtiments administratifs de l'église, groupés autour d'un lac, paraissent austères et sombres. Pourtant, la grande basilique de la Mother Church (église mère) et l'église romane voisine – l'église d'origine – sont superbes. La basilique peut accueillir quelque 5000 fidèles; avec ses trois balcons, elle ressemble plus à un théâtre qu'à un lieu de culte.

Les seules décorations sont des citations du Nouveau Testament et un portrait de la fondatrice de cette église, Mary Baker Eddy. Les vitraux de l'église d'origine sont plus décorés, mais tous les ornements ont été écartés à mesure que la foi prenait de l'ampleur. On peut aussi y voir la chaise de Mary Baker Eddy. Celle-ci ne s'adressa que deux fois à sa congrégation, pour éviter toute idolâtrie personnelle. Nous vous conseillons vivement de suivre l'une des visite guidées, car elles seules permettent de voir l'église d'origine.

Dans le bâtiment des Éditions de la science chrétienne, à droite en sortant de l'église, vous verrez le plus étrange des objets: un globe de verre de 9m de diamètre, que vous pourrez traverser sur une petite passerelle. Le Mapparium présente un monde multicolore aux frontières telles qu'elles étaient en 1935. Le verre n'absorbant pas les sons, les effets acoustiques sont des plus amusants.

LE CHIC ET LE VICTORIEN

Une promenade dans **Newbury Street**, la rue la plus chère de la ville, constitue une expérience agréable. C'est ici **49** que bourgeois et conservateurs viennent pour meubler leur intérieur d'œuvres d'art et d'antiquités, s'habiller chez les plus grands couturiers, se faire coiffer par les plus célèbres visagistes et prendre un verre ou dîner *al fresco* en été. L'obsession des apparences est évidente à la fois dans les vitrines et dans les personnes qui les contemplent. Chaque objet exposé, chaque tableau, chaque boutique – de glaces ou de vêtements – mérite une photo. Certaines galeries d'art présentent des œuvres d'artistes très célèbres. Remarquez aussi l'architecture: les anciennes écuries transformées cèdent la place à une série de maisons bourgeoises aux façades droites ou arrondies.

Faites un détour dans l'une des petites rues qui, depuis le Public Garden, portent, par ordre alphabétique (de A à H), des noms de lords anglais. Puis, entre les avenues, visitez les étroites allées de service qui conduisent aux anciens quartiers des domestiques à l'arrière des maisons. Le terre-plein central, entouré d'ormes qui coupe **Commonwealth Avenue**, est idéal pour admirer les jolis édifices victoriens et les bâtiments de style second Empire et gothique. Pour vraiment comprendre ce qu'était la vie à Back Bay au siècle

La conception des vitrines de Newbury Street est un véritable art en soi.

dernier, visitez les pièces meublées de la **Gibson House**, au 137 Beacon Street, près du Public Garden (visites à 13h, 14h et 15h du mercredi au dimanche entre mai et octobre, le samedi et le dimanche durant le reste de l'année). Elle abrite l'héritage de trois générations de Gibson, qui y vécurent de 1860 à 1954.

Autour de Back Bay

FENWAY

Allez à Fenway pour admirer les deux musées d'art superbes de cette ville, le long du long ruban d'étangs, de roseaux et de pelouses du Back Bay Fens, et pour voir en action l'équipe des Red Sox à Fenway Park. Le cœur de la ville, Kenmore Square, repérable de loin à son énorme enseigne CITGO, est une intersection bruyante, où les fast-foods sont envahis par les punks et les étudiants. Le **Museum of Fine Arts** (musée des Beaux-Arts) ou MFA, abrite l'une des plus importantes collections du pays. Une visite ne suffit pas pour tout voir: choisissez une galerie particulière, ou suivez la brochure qui vous indique les œuvres les plus importantes. Les pièces asiatiques sont assez exceptionnelles: les éléphants d'Inde côtoient des Bouddhas thaïs, des statues de dieux javanais et des armures japonaises. L'art ancien du nord de l'Afrique est représenté par des statues et des stèles provenant de Nubie, et des galeries égyptiennes présentant des momies et des sculptures antiques.

Plus proches de notre époque, vous admirerez un buffet contenant des pièces d'argenterie fabriquées par Paul Revere, et un célèbre portrait de l'orfèvre, parmi bien d'autres, signé John Singleton Copley, le plus fameux artiste de Boston. Toute la peinture européenne est représentée, de la Renaissance italienne aux paysages anglais, mais les salles les plus fascinantes abritent des tableaux français du XIXe siècle, notamment des dizaines de Monet, *Le Semeur* de Millet, la *Danse à Bougival* de **51**

LES MUSÉES ET LES GALERIES EN BREF

Children's Museum, *300 Congress St.* Musée imaginatif à la fois amusant et instructif. L'été (et pendant les vacances scolaires): tous les jours de 10h à 17h (10h à 21h le vend.); fermé le lundi le reste de l'année. Adultes: 7 $; enfants (2 à 15 ans) et pers. âgées: 6 $; enfants (de 1 an): 2 $. (Voir p.42)

Computer Museum, *Museum Wharf, 300 Congress St.* Ordinateur géant, robots et jeux expliquant la technologie informatique. L'été (et pendant les vacances scolaires): tous les jours de 10h à 17h (10h à 21h le vend.; fermé le lundi le reste de l'année. Adultes: 7 $; enfants/pers. âgées: 5 $; enfants (moins de 4 ans): gratuit; entrée à demi-tarif le dim. de 15h à 17h. (Voir p.43)

Harvard University Art Museums. Trois petits musées: le Frogg Art Museum (art européen et nord-américain); le Busch-Reisinger Museum (art germanique); l'Arthur M. Sackler Museum (art classique, asiatique et musulman). De 10h à 17h du mardi au dimanche. Adultes (18 à 65 ans): 5 $; étud./pers. âgées: 2,50 $; moins de 18 ans: gratuit (Voir pp.60-62)

Harvard University Museums of Natural History, *au 24 Oxford St. et au 11 Divinity Ave., à Cambridge.* Quatre superbes collections: ne manquez pas l'exposition des Indiens d'Amérique et les squelettes préhistoriques. De 9h à 16h30 du lundi au samedi, de 13h à 16h30 le dim. Adultes: 4 $; étud./pers. âgées: 3 $; enfants: 1 $. (Voir p.62)

Isabella Stewart Gardner Museum, *280 The Fenway.* Collection de chefs-d'œuvre. De 11h à 17h du mardi au dim. Adultes: 6 $; étud./pers. âgées: 3 $; moins de 12 ans: gratuit. (Voir p.53)

Museum of Fine Arts (musée des Beaux-Arts), *465 Huntington Ave.* Collections de peintures et de sculptures (les plus belles de Boston). Superbes galeries asiatique et égyptienne et salles regorgant de tableaux impressionnistes. De 9h à 17h en sem. (jusqu'à 21h45 le merc.); visites guidées de 10h à 16h. Adultes: 7 $; pers. âgées: 6 $; enfants de 6 à 17 ans: 3,50 $. (Voir p.51)

Museum of Science, *Science Park, de l'autre côté de Charles River.* Vaste complexe rassemblant tout l'univers de la science. De 9h à 17h (jusqu'à 21h le vend.) l'été; fermé le lundi le reste de l'année. Adultes: 7 $; enfants de 3 à 14 ans et pers. âgées: 5 $; moins de 3 ans: gratuit. (Voir p.81)

Renoir, et des œuvres de Van Gogh, Toulouse-Lautrec et Cézanne. On trouve aussi dans le musée une excellente boutique, un café et un restaurant.

Rien à Boston ne peut égaler la beauté de la cour de l'**Isabella Stewart Gardner Museum**. Inspiré d'une loggia vénitienne, ce cloître entouré d'arches délicates et de murs rose saumon entoure un espace fascinant orné de feuillage et de statues. Isabella Gardner créa Fenway Court en 1903 pour installer son exceptionnelle collection d'art. Cette riche et flamboyante New-Yorkaise choqua la bourgeoisie bostonienne par ses manières peu conventionnelles: son portrait (dans la Salle gothique) par John Singer Sargent, a su capter son caractère. Son excentricité lui survit dans son testament; celui-ci stipulait que les 2000 œuvres d'art exposées dans la maison devaient rester exactement en l'état, ou le contenu du musée serait vendu au profit de l'université de Harvard.

C'est un lieu étonnant pour des œuvres d'artistes de renommée mondiale: on a l'impression de se trouver dans une maison de la campagne anglaise, mal éclairée et sentant le renfermé, et les pannonceaux semblent avoir été faits à la hâte. Chaque salle est consacrée à un style ou un thème particulier – flamand, gothique, italien ancien, etc. Les noms – Véronèse, Le Titien ou Raphaël –, témoignent de la qualité des œuvres qu'elles abritent.

UNE SOIRÉE AVEC LES RED SOX

Laissez votre voiture au parking, et entassez-vous dans une rame de métro de la ligne verte de la MBTA avec des centaines de fans en route pour Kenmore. Le Fenway Park, construit en 1912, est le plus ancien stade du pays. De forme irrégulière, il possède une pelouse naturelle parfaitement soignée. Il n'est pas très grand, de sorte que tous les spectateurs sont proches des joueurs. Si vous n'êtes pas familiarisé avec les règles du baseball, la plupart des 34 000 **53** spectateurs seront prêts à vous les expliquer. En fait, lorsque les lanceurs dominent un match et que peu de points sont marqués, vous vous demanderez peut-être quel est l'intérêt de ce sport. Mais au premier *home-run*, la foule se mettra à hurler et vous entraînera dans son enthousiasme (voir p.137).

*L*e base-ball est beaucoup plus qu'un sport – pour les passionnés, c'est un mode de vie.

BAY VILLAGE ET LE SOUTH END

Voici une occasion de quitter les sentiers battus pour explorer les charmes méconnus de deux quartiers résidentiels.

Les quelques pâtés de maisons qui forment **Bay Village** sont dissimulés entre le quartier des théâtres et Back Bay, autour de Winchester, Melrose et Fayette Streets. Cela ressemble un peu à un village miniature – une version réduite et plate de Beacon Hill, avec les mêmes maisons de briques rouges à volets noirs, et les trottoirs bordés d'arbres. Ces maisons abritaient toutefois des artisans, et non des bourgeois, de sorte qu'elles sont moins précieuses, dépourvues des ferronneries travaillées et des corniches de Beacon Hill. Lorsque le marécage de Back Bay fut remblayé dans les années 1860, l'eau évacuée inonda ce quartier plus ancien, et il fallut surélever les rues et les maisons sur des piliers pouvant atteindre 5,5m de haut.

Poursuivez vers le sud sur Tremont Street, au-delà du

Massachusetts Turnpike, et vous arriverez au **South End**. Allez-y simplement pour savourer les plats de ses restaurants – quelques bistros chics sur Tremont Street, au carrefour de Clarendon Street, ou les spécialités éthiopiennes, syriennes ou coréennes de certains établissements.

Comme une grande partie de Boston, le South End fut créé par un remblaiement au XIXe siècle, mais les Bostoniens lui préférèrent bientôt Back Bay. Il est aujourd'hui habité par un mélange d'Antillais, d'Irlandais, de Grecs et d'Hispaniques, et abrite également la plus forte concentration d'homosexuels de la ville. Il vaut mieux éviter certains endroits, notamment au sud de Shawmut Avenue. Ailleurs, vous verrez de magnifiques peintures murales ou écouterez un orchestre de reggae dans un parc. Le quartier abrite aussi le plus grand nombre de rues victoriennes du pays. Des maisons de briques, au perron escarpé bordé de rampes de fer forgé, côtoient des espaces de verdure, dont les

plus beaux exemples sont Union Park Square, près de Tremont Street, et Rutland et Concord Squares plus au sud.

Les enseignes de Boston illuminent le quartier des théâtres et informent le public.

Autour de Boston

Même s'il n'y a rien de particulier à voir dans les banlieues de Boston, certains endroits méritent le détour.

South Boston, ou «Southie», se trouve étonnamment à l'est du centre-ville. Il suffit de voir la taverne Shannon et le supermarché Flanagan sur East Broadway, son artère principale, pour comprendre que ce sont les Irlandais qui y ont établi leurs racines. Suivez la rue principale avec ses anciennes maisons de briques et de bois jusqu'à **Fort Independence**, à l'entrée du port intérieur de Boston. Le fort est très rarement ouvert, mais vous pourrez vous joindre aux centaines d'habitués qui s'installent dans le parc voisin sur des chaises longues pour observer à la jumelle le ballet incessant des bateaux et des avions.

Votre étape suivante sera **Dorchester Heights**. Une tour de marbre à trois niveaux (aujourd'hui fermée) se dresse sur la colline où, en 1776, George Washington parvint à faire fuir les Anglais en braquant des pièces d'artillerie sur la ville (voir p.14).

En longeant le port vers le sud, vous arriverez bientôt au **John F. Kennedy Library and Museum** (bibliothèque et musée John F. Kennedy), un

À Boston, vous trouverez toujours un endroit pour vous reposer de l'agitation de la ville.

superbe édifice d'un blanc éclatant (ouvert de 9h à 17h). Situé juste au bord de la baie, il capte dans son atrium la lumière et les couleurs de la mer. Ce musée, récemment transformé pour attirer la jeune génération qui n'était pas née à l'époque du président Kennedy, recrée son bureau ovale et montre de nombreux films (voir p.126 les excursions en bateau depuis le centre-ville).

Tout près à l'ouest, on arrive à Franklin Park, dont certaines parties sont réputées dangereuses. Mais vous visiterez sans aucun risque le zoo (ouvert de 9h à 17h30 en semaine, et le week-end durant l'été, fermeture une heure plus tôt le reste de l'année). Il s'agit d'un parc plus que d'un zoo, mais son centre d'intérêt est une splendide forêt vierge d'Afrique recréée dans une salle, avec ses gorilles et ses phacochères. Tout près, vous traverserez une volière géante. Franklin Park devait être le joyau central de l'**Emerald Necklace** (collier d'émeraudes) conçu par Frederick Law Olmsted, un ensemble de parcs reliés entre eux sur 11km depuis Boston Common.

Frederick Law Olmsted a été surnommé le père des paysagistes. Au XIXe siècle, il travailla dans de nombreuses villes américaines. Sa plus célèbre création, avec Calvert Vaux, est Central Park, à New York. Il aurait été ravi de ce que sont devenus les 107ha de l'**Arnold Arboretum**, à l'ouest de Franklin Park: chacun de ses 15 000 arbres, buissons et plantes grimpantes, divisés en petits bouquets, est scientifiquement documenté.

Avant de repartir pour Boston, faites une dernière escale dans la riche banlieue de Brookline (distincte de Boston, et patrie de Olmsted). La modeste maison de bois au 83 Beal Street (propriété du Service des parcs nationaux et ouverte de 10h à 16h30) est le **John Kennedy National Historic Site**. C'est ici que le célèbre président John Kennedy naquit et vécut jusqu'à l'âge de quatre ans. Sa mère, Rose, l'a fait restaurer, en partie avec des meubles utilisés par sa famille à cette époque.

57

Cambridge

Bien qu'elle ne soit séparée de Boston que par une rivière et quelques stations de métro, Cambridge est une ville distincte, dont le caractère a été façonné par la présence de deux des plus prestigieuses universités du pays. Ses multiples communautés méritent une visite, mais le lieu le plus attrayant est sans conteste Harvard Square.

HARVARD SQUARE

L'intérêt de Harvard Square réside dans ses habitants. C'est un lieu où chacun vient passer un moment, des étudiants qui conversent sur un ton sentencieux aux clochards qui font la quête ou froissent les pages du *New York Times*, en passant par les punks et les hommes d'affaire. Jongleurs, trapézistes, musiciens (Joni Mitchell et Tracy Chapman ont débuté ici) attirent les foules, surtout le vendredi et le samedi soir.

On peut passer des heures dans les librairies (voir p.101) et les cafés. Prenez un journal parmi la sélection des «Out of Town News» au centre de Harvard Square (ce nom s'applique aussi aux rues alentour), et allez vous installer au café Au Bon Pain. C'est *le* lieu où il faut aller pour observer les passants, et pour quelques dollars, vous pourrez vous mesurer au maître des échecs local.

L'UNIVERSITÉ DE HARVARD

On manque de superlatifs pour décrire l'université de Harvard. De toutes les universités américaines, c'est la plus ancienne – fondée en 1636 comme un lieu de formation pour les pasteurs puritains –, la plus riche, avec quelque cinq milliards de dollars de dotations et celle qui compte le plus de lauréats de prix Nobel. Nul n'en est exclu pour des motifs financiers: les seuls critères de sélection sont les capacités intellectuelles.

*B*on nombre des anciens bâtiments de Cambridge sont de jolies maisons en bois.

59

Harvard Yard

La plus ancienne partie de l'université est adjacente à Harvard Square. Par beau temps, les étudiants flânent sur la pelouse de la cour ou lisent avec ostentation, adossés à des piliers. Les visiteurs peuvent s'y promener librement, ou suivre une visite guidée menée par des étudiants (voir p.125).

La plupart des bâtiments de briques rouges de l'Old Yard abritent des étudiants. Sur la plaque de la statue devant l'University Hall, vous pourrez lire: «John Harvard, fondateur, 1638». En fait, ce n'est pas John Harvard, mais un étudiant qui posa pour le sculpteur, et comme Harvard n'était pas le fondateur de l'université, mais son premier bienfaiteur, et que la date est fausse, on l'a surnommée la «statue aux trois mensonges».

La New Yard (Nouvelle cour) voisine est encore plus belle. Les piliers monumentaux de la Widener Library (ouverte de 9h à 22h du lundi au jeudi; de 9h à 17h le vendredi et le samedi; de midi à 17h le dimanche) dominent la pelouse devant l'église Memorial Church, dont l'élégant clocher de pierre surgit du feuillage. Widener est la plus vaste bibliothèque universitaire au monde. Elle porte le nom d'Harry Widener, qui se noya lors du naufrage du Titanic. Sa mère fonda la bibliothèque en précisant qu'aucun étudiant de Harvard ne pourrait obtenir son diplôme sans savoir nager. Vous pouvez visiter la collection de livres d'Harry dans une magnifique pièce lambrissée. Elle comprend notamment un manuscrit des pièces de Shakespeare datant de 1623 et une bible de Gutenberg de 1450.

Les arts et la science

Un seul ticket vous permettra de visiter tous les trésors artistiques de Harvard. Le musée le plus agréable est le **Fogg**, sur Quincy Street, près de l'angle nord-est du Harvard Yard. On y trouve toute la gamme de l'art européen et nord-américain de l'époque médiévale à nos jours, et sa taille permet pratiquement de le visiter en une fois. Les œuvres sont de qualité: gravures de Rembrandt et Dürer, sculptures de Rodin, tableaux de Picasso, Matisse, Chagall et Léger dans la section moderne. Dans la salle des arts décoratifs, vous verrez la chaise du Président, un meuble médiéval orné de boutons et anneaux sur lequel le président en titre de Harvard se doit de prendre place chaque année pour les cérémonies.

À l'arrière du Fogg se trouve le **Busch-Reisinger Museum**, spécialisé dans l'art germanique, et réputé pour ses magnifiques œuvres des expressionnistes allemands Klimt, Kandinsky et Klee.

James Stirling, célèbre architecte post-moderne britannique, a créé un bâtiment à la fois audacieux et respectueux de ses anciens voisins pour abriter l'**Arthur M. Sackler Museum**. Il contient une collection limitée, mais importante,

La «statue aux trois mensonges» à Harvard Yard – de quoi induire en erreur les étudiants en histoire.

Cambridge l'intellectuelle – d'une partie d'échecs à la maison de Longfellow (à droite).

d'œuvres classiques, islamiques et de l'Asie antique, en particulier des jades et poteries chinois du néolithique.

Juste à l'extérieur du Sackler vous verrez le **Memorial Hall**, un monument de proportions gigantesques au toit multicolore, construit en l'honneur des anciens étudiants morts pour l'Union lors de la Guerre civile. S'il est ouvert, jetez un œil à l'intérieur pour admirer le Sanders Theater en bois et la vaste salle de réception.

À quelques pas au nord sur Oxford Street ou Divinity Avenue, les **Harvard University Museums of Natural History** (quatre musées d'Histoire naturelle) sont regroupés sous le même toit. Chacun mérite une visite. Au musée d'Archéologie et d'Ethnologie, ne manquez pas la Salle des Indiens d'Amérique du Nord avec ses poteaux de totem, ses berceaux et ses poupées, où vous découvrirez le mode de vie des différentes tribus.

Allez voir les météorites au Musée minéral et géologique. Le Musée botanique abrite une collection réputée dans le monde entier de modèles en verre de plantes et de fruits grandeur nature, avec leurs fleurs délicates, moulées et colorées à la perfection. Ces 3000 pièces furent initialement fabriquées pour aider les professeurs de biologie, mais devinrent des œuvres d'art. Les enfants apprécieront les os fossilisés, les squelettes de baleines et la ménagerie d'animaux du musée de Zoologie.

BRATTLE STREET ET SES ENVIRONS

Le Brattle Theater, à l'extrémité de Harvard Square sur Brattle Street, fut autrefois un théâtre. On y projette aujourd'hui d'anciens films, dont l'un a inspiré le bar/restaurant Casablanca avec ses amusantes peintures murales. Un peu plus loin, vous trouverez un autre superbe édifice, tout en bois, le Blacksmith House Bakery Café. Brattle Street devient bientôt plus résidentielle. Quelques-unes des plus belles maisons qui la bordent furent occupées par des loyalistes à l'époque de la révolution – la rue fut d'ailleurs par la suite surnommée la «Tory Row» (rue des conservateurs).

C'est le cas de la délicieuse **Longfellow House** en bois jaune. G. Washington y installa son quartier général durant le siège de Boston, mais elle est surtout célèbre pour avoir abrité durant 45 ans l'un des plus

grands poètes américains, Henry Wadsworth Longfellow. La maison a gardé une grande partie de son mobilier, ses livres, certains tapis et même le papier mural d'origine. Des lectures de poésie et divers concerts sont organisés dans le jardin durant l'été.

Prenez votre voiture ou un bus vers l'ouest dans Brattle Street jusqu'au **cimetière de Mount Auburn**. Ce «cimetière jardin», de style victorien, est l'un des plus beaux que l'on puisse imaginer, avec ses hectares paysagés de talus, de lacs et de magnifiques arbres. À l'entrée, prenez un plan d'horticulture et un autre indiquant les tombes de personnalités célèbres qui y demeurent, comme Longfellow, Isabella Gardner et Mary Baker Eddy.

En redescendant Brattle Street, vous pourrez voir sur la gauche **Radcliffe Yard**, une élégante cour octogonale entourée de bâtiments, installés parmi les pelouses verdoyantes. Fondée en 1879, l'université de Radcliffe était réservée aux jeunes filles; elle est maintenant associée à Harvard, même si les lauréats reçoivent des diplômes des deux établissements. Quittez Radcliffe Yard vers le **Cambridge Common**, où G. Washington passa pour la première fois ses troupes en revue le 3 juillet 1775 (l'orme censé indiquer cet endroit historique n'est pas d'origine). Suivez Garden Street vers l'est jusqu'a l'Anglican Christ Church. Cette église fut transformée en caserne par les Britanniques durant la révolution. Le cimetière voisin est appelé God's Acre. Il abrite des présidents de Harvard et des soldats révolutionnaires.

Si vous avez encore un peu de temps, pourquoi ne pas partir à la découverte de l'un des plus beaux aspects de l'Amérique urbaine, dans les agréables petites rues qui donnent sur Massachusetts Avenue au nord, bordées d'anciennes – et superbes – maisons de bois. Dans la soirée, outre Harvard Square, vous pourrez venir vous détendre dans l'un des nombreux restaurants cosmopolites du coin ou goûter au parfum hispanique d'Inman Square, au bas de Cambridge Street.

Hôtels et restaurants de Boston

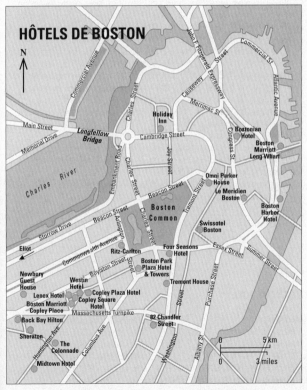

HÔTELS DE BOSTON

N

Commercial Avenue
John F. Fitzgerald Expressway
Commercial St.
Atlantic Avenue
Causeway St.
Charles Street
Merrimac St.
Holiday Inn
Congress St.
Main Street
Cambridge Street
Bostonian Hotel
Memorial Drive
Longfellow Bridge
Boston Marriott Long Wharf
Charles River
Embankment Road
Charles Street
New Sudbury St.
Beacon Street
Omni Parker House
Tremont Street
Le Meridien Boston
Boston Harbor Hotel
Boston Common
Beacon Street
Storrow Drive
Arlington Street
Charles Street
Swissotel Boston
Commonwealth Avenue
Eliot
Four Seasons Hotel
Essex Street
Summer Street
Ritz-Carlton
Boston Street
Boylston Street
Boston Park Plaza Hotel & Towers
Newbury Guest House
Westin Hotel
Tremont House
Lenox Hotel
Copley Plaza Hotel
Purchase Street
Boston Marriott Copley Place
Copley Square Hotel
Back Bay Hilton
Massachusetts Turnpike
82 Chandler Street
Sheraton
Huntington Ave.
The Colonnade
Columbus Ave.
Washington Street
Albany St.
Midtown Hotel

0   5 km

0   3 miles

Hôtels recommandés

Bien que les hôtels soient relativement chers à Boston (pour un hébergement meilleur marché, essayez les agences de Bed and Breakfast ou les auberges de jeunesse – voir HÔTELS ET LOGEMENT, p.128), ils sont aussi de très bonne qualité, qu'il s'agisse de chaînes modernes ou d'anciens bâtiments historiques rénovés. Dans les deux cas, les chambres disposent d'un réglage individuel de la température, de la télévision par câble, de téléphones directs et souvent de bien d'autres équipements.

Réservez à l'avance car votre séjour pourrait coïncider avec un séminaire. La plupart des hôtels ont un numéro vert commençant par 1-800, utilisable depuis les États-Unis seulement.

Pour vous guider dans votre choix, les symboles ci-dessous indiquent le prix d'une chambre double standard pour une nuit, sans les taxes (9,7%), ni le petit déjeuner. Une chambre pour une personne (*single*) coûte généralement 10% de moins, et on peut souvent faire ajouter un lit dans la chambre pour une somme modique. Bon nombre d'hôtels ne demandent pas de supplément pour un enfant qui partage la chambre de ses parents. Les hôtels offrent souvent des tarifs réduits s'ils ne sont pas pleins. Il y a aussi des forfaits pour le week-end ou les familles. Renseignez-vous en faisant votre réservation.

ⅣⅣ	plus de 250 $
ⅢⅢ	de 175 $ à 250 $
ⅡⅡ	de 125 $ à 175 $
Ⅰ	Moins de 125 $

BEACON HILL

Holiday Inn　　　Ⅱ
5 Blossom Street
Boston, MA 02114
Tél. (617) 742-7630
N° vert 1-800-HOLIDAY
Fax (617) 742-4192

Hôtel récemment rénové, situé à proximité de Beacon Hill, de Charles River et du Fauneuil Hall Marketplace. Les chambres sont toutes confortables et la majorité d'entre elles offrent une superbe vue sur la ville. Piscine en plein air. 303 chambres.

CENTRE-VILLE

Bostonian Hotel ▦▦▦
Faneuil Hall Marketplace
Boston, MA 02109
Tél. (617) 523-3600
N° vert 1-800-343-0922
Fax (617) 523-2454
Le seul hôtel de Boston situé sur le Faneuil Hall Marketplace. Petit et confortable, en partie moderne, et en partie aménagé dans un ancien entrepôt du siècle dernier. 153 chambres (voir aussi p.75).

Le Méridien Boston ▦▦▦
250 Franklin Street
Boston, MA 02110
Tél. (617) 451-1900
N° vert 1-800-543-4300
Fax (617) 423-2844
Cet hôtel du quartier financier, aménagé dans l'ancienne Federal Reserve Bank, offre des tarifs intéressants pour le week-end. Il possède des chambres élégantes et un club de remise en forme. 326 chambres (voir aussi p.75).

Omni Parker House ▦▦▦
60 School Street
Boston, MA 02108
Tél. (617) 227-8600
N° vert 1-800-THE-OMNI
Fax (617) 742-5729
Le plus ancien hôtel en activité aux États-Unis se trouve au cœur de la ville. Cet établissement a accueilli de nombreux hôtes célèbres au fil des années. Bar et restaurant historiques. Les chambres sont petites et assez ordinaires pour le prix. 538 chambres.

Swissôtel Boston ▦▦▦
1 Avenue de Lafayette
Boston, MA 02111
Tél. (617) 451-2600
N° vert 1-800-621-9200
Fax (617) 451-0054
L'hôtel est situé dans une tour dans le quartier le plus «dur» du centre-ville. Établissement surtout fréquenté par une clientèle d'affaires. Les chambres sont élégantes et confortables. Club de remise en forme. Le petit déjeuner est compris. 497 chambres.

QUARTIER DES THÉÂTRES

Tremont House ▦▦
275 Tremont Street
Boston, MA 02116-5694
N° vert 1-800-331-9998
Fax (617) 482-6730
Hôtel installé dans l'ancien siège de l'ordre bienveillant et protecteur des Élans. Bon rapport qualité-prix (renseignez-vous sur les billets de théâtre gratuits). Chambres agréables. Deux dancings. 290 chambres. (Voir aussi p.76).

SUR LE PORT

Boston Harbor Hotel   ▌▌▌▌-▌▌▌▌

70 Rowes Wharf
Boston, MA 02110
Tél. (617) 439-7000
N° vert 1-800-752-7077
Fax (617) 330-9450

L'hôtel de luxe du port de Boston est installé dans un bâtiment moderne, juste devant le ferry pour l'aéroport. Ambiance décontractée et meilleur club de remise en forme de la ville. 230 chambres.

Boston Marriott Long Wharf   ▌▌▌▌

296 State Street
Boston, MA 02109
Tél. (617) 227-0800
N° vert 1-800-228-9290
Fax (617) 227-8595

Un hôtel à l'atrium original, situé tout près du port. Chambres modernes. 400 chambres.

BACK BAY

Back Bay Hilton   ▌▌▌▌

40 Dalton Street
Boston, MA 02115
Tél. (617) 236-1100
N° vert 1-800-874-0663
Fax (617) 267-8893

Petit (selon les critères de Boston), cet hôtel de Back Bay se trouve dans une tour de forme triangulaire. L'établissement est fier de sa tranquillité. 335 chambres.

Boston Marriott Copley Place   ▌▌-▌▌▌

110 Huntington Avenue
Boston, MA 02116
Tél. (617) 236-5800
N° vert 1-800-228-9290
Fax (617) 236-5885

Un hôtel gigantesque et moderne, situé dans le complexe de Copley Place, au cœur de Back Bay. Dans l'atrium élégant, mais très animé, on trouve de nombreux restaurants et des magasins. Excellent centre de remise en forme avec piscine. Terrain de golf et courts de tennis à proximité. 1147 chambres.

Boston Park Plaza Hotel and Towers   ▌▌

64 Arlington Street
Boston, MA 02116-3912
Tél. (617) 426-2000
N° vert 1-800-225-2008
Fax (617) 426-5545

Constamment animé mais efficace, avec des boutiques, des bars et des restaurants, cet hôtel à gestion familiale est aménagé dans un bâtiment de 1927, situé à proximité du Public Garden. Cet établissement est désormais célèbre pour son attachement à l'environnement (les pommes de douche économisent l'eau, et les chambres sont équipées de distributeurs de savon et de shampooing; l'hôtel met également à votre disposition son équipe de «personnel vert» qui répondra à toutes vos questions). 977 chambres.

Colonnade Hotel

120 Huntington Avenue
Boston, MA 02116
Tél. (617) 424-7000
N° vert 1-800-962-3030
Fax (617) 424-1717

Cet hôtel de Back Bay est relativement petit et paisible par rapport à ses voisins des grandes chaînes hôtelières. Moderne, élégant et confortable, il possède une piscine sur le toit et un bar avec ambiance de jazz. 288 chambres.

Copley Plaza Hotel

138 St James Avenue
Boston, MA 02116
Tél. (617) 267-5300
N° vert 1-800-8-COPLEY
Fax (617) 267-7668

Ce magnifique hôtel, construit en 1912 sur Copley Square, possède de superbes salles publiques pleines de lustres, de miroirs et de marbre. Les chambres sont bien équipées, très confortables et décorées avec goût – les meubles sont de belles reproductions d'anciens. 370 chambres.

Copley Square Hotel

47 Huntington Avenue
Boston, MA 02116
Tél. (617) 536-9000
N° vert 1-800-225-7062
Fax (617) 236-0351

Un très bon rapport qualité-prix pour ce confortable hôtel de Back Bay, ouvert depuis 1891. Certaines chambres sont de petite taille. Amusant bar saloon avec retransmissions sportives. 143 chambres. (Voir aussi p.77).

Eliot Hotel

370 Commonwealth Avenue
Boston, MA 02215
Tél. (617) 267-1607
N° vert 1-800-44-ELIOT
Fax (617) 536-9114

Les chambres de cet élégant hôtel proche de Back Bay sont presque toutes des suites avec mobilier ancien, kitchenette et salle de bains en marbre. Pas de restaurant ni de bar, mais un excellent rapport qualité-prix. 92 chambres.

Four Seasons Hotel

200 Boylston Street
Boston, MA 02116
Tél. (617) 338-4400
N° vert 1-800-332-3442
Fax (617) 423-0154

Le meilleur hôtel de Boston est un repaire de célébrités qui donne sur le Public Garden. L'ambiance y est **69** très décontractée et le service impeccable. Piano-bar très populaire et club de remise en forme irréprochable. Restaurant souvent primé (voir p.77). 288 chambres.

Lenox Hotel ▐▐

710 Boylston St, Copley
Place, Boston, MA 02116
Tél. (617) 536-5300
N° vert 1-800-225-7676
Fax (617) 237-1237

Une situation idéale pour ce petit hôtel à l'ancienne de Back Bay, aux chambres confortables. Célèbre pour le Diamond Jim's Piano Bar (public vivement encouragé à participer). 222 chambres.

Midtown Hotel ▐

220 Huntington Avenue
Boston, MA 02115
Tél. (617) 262-1000
N° vert 1-800-343-1177
Fax (617) 262-8739

Les chambres de cet établissement de style motel, proche de Back Bay, sont simples, mais spacieuses. Piscine en plein air. 159 chambres.

Newbury Guest House ▐▐

261 Newbury Street
Boston, MA 02116
Tél. (617) 437-7666

Il est nécessaire de réserver des semaines à l'avance pour obtenir une chambre dans ce Bed and Breakfast idéalement situé. Le bâtiment d'époque victorienne est superbe et magnifiquement meublé d'antiquités. 15 chambres.

Ritz-Carlton Hotel ▐▐▐▐

15 Arlington Street
Boston, MA 02117
Tél. (617) 536-5700
N° vert 1-800-241-3333
Fax (617) 536-1335

Cet hôtel, proche du Public Garden, est le plus distingué de Boston. Les portiers sont impeccablement coiffés et il convient de s'habiller le soir. Le café, le bar, le salon et la salle à manger sont des institutions par eux-mêmes. Les chambres de l'aile ancienne sont les plus belles. 278 chambres.

Sheraton Hotel and Towers ▐▐▐

39 Dalton Street
Boston, MA 02199
Tél. (617) 236-2000
N° vert 1-800-325-3535
Fax (617) 236-1702

Cet hôtel, qui fait partie du Prudential Center, est le lieu de prédilection des conventions. Aux étages luxueux, les clients ont leur propre maître d'hôtel. Chambres confortables. Grande piscine en plein air, restaurant de fruits de mer et bar-restaurant. 1208 chambres.

Westin Hotel   ▌▌▌
Copley Place
10 Huntington Avenue
Boston, MA 02116
Tél. (617) 262-9600
N° vert 1-800-228-3000
Fax (617) 424-7483
Cette tour de 36 étages domine un grand hall, avec trois restaurants, y compris le Turner Fisheries (voir p.78) et trois bars. Hôtel directement relié au centre commercial de Copley Place. 848 chambres.

LE SOUTH END

82 Chandler Street   ▌
82 Chandler Street
Boston, MA 02116
Tél. (617) 482-0408
Un «B&B» superbement meublé, situé dans une petite rue. Interdit aux fumeurs. 5 chambres.

CAMBRIDGE

Cambridge House   ▌
Bed & Breakfast Inn
2218 Massachusetts Avenue
Boston, MA 02140-1836
Tél. (617) 491-6300
N° vert 1-800-232-9989
Fax (617) 868-2848
Une adorable maison de bois aux chambres de style victorien très décorées, dont un bon nombre ont des lits à baldaquin. Emplacement

assez médiocre dans la banlieue de Cambridge, mais le métro est tout proche. 14 chambres.

Charles Hotel   ▌▌▌
(Harvard Square)
1 Bennett Street
Boston, MA 02138
Tél. (617) 864-1200
N° vert 1-800-882-1818
Fax (617) 864-5715
Une oasis de paix et de luxe au cœur même de Cambridge. Hôtel moderne raffiné, aux chambres très chic, avec club de jazz réputé. 296 chambres. (Voir aussi p.79).

Harvard Manor House   ▌▌
110 Mount Auburn Street
Boston, MA 02138
Tél. (617) 864-5200
N° vert 1-800-458-5886
Fax (617) 864-2409
Un hôtel moderne, simple, situé à quelques pas du centre de Harvard Square. 72 chambres.

The Inn at Harvard   ▌▌
1201 Massachusetts Avenue
Boston, MA 02138
Tél. (617) 491-2222
N° vert 1-800-222-8733
Fax (617) 491-6520
Situé face au Harvard Yard, cet hôtel neuf, de style traditionnel, abrite de nombreux livres et œuvres d'art. 113 chambres.

71

Royal Sonesta   ‖‖-‖‖‖
5 Cambridge Parkway
Boston, MA 02142
Tél. (617) 491-3600
N° vert 1-800-SONESTA
Fax (617) 661-5956
Un élégant complexe au bord de la
rivière, situé à proximité de la
CambridgeSide Galleria. Les plus
belles chambres donnent sur la ri-
vière et méritent le petit supplé-
ment de prix. 400 chambres.

CONCORD

Colonial Inn   ‖-‖‖
48 Monument Square
Concord, MA 01742
Tél. (508) 369-9200
N° vert 1-800-730-9200
Fax (508) 369-2170
Un bâtiment attrayant, dont certaines parties datent de 1716, situé en
plein cœur du centre-ville. Plafonds
bas aux larges poutres, mobilier et
couvre-lits à l'ancienne. Climati-
sation dans les parties les plus modernes de l'hôtel.

Hawthorne Inn   ‖
462 Lexington Road
Concord, MA 01742
Tél. (508) 369-5610
Maison des années 1870, située à
l'est de Concord, et décorée d'œuvres d'art originales. Mobilier ancien. 7 chambres.

PLYMOUTH

John Carver Inn   ‖
25 Summer Street
Plymouth, MA 02360
Tél. (508) 746-7100
N° vert 1-800-274-1620
Un hôtel très bien géré, de style
colonial, près du centre de Plymouth. Chambres bien équipées et
restaurant plein de caractère. Bon
rapport qualité-prix. Piscine en
plein air. 79 chambres.

Pilgrim Sands Motel   ‖
150 Warren Street (Route 3A)
Plymouth, MA 02360
Tél. (508) 747-0900
Motel proche de la Plantation Plimoth. Piscine couverte/en plein
air. Certaines chambres donnent
sur l'océan. 64 chambres.

CAP COD

Captain Freeman Inn   ‖-‖‖
15 Breakwater Road
Brewster, MA 02631
Tél. (508) 896-7481
N° vert 1-800-843-4664
Une élégante maison victorienne,
qui appartient à un capitaine de la
marine, avec lits à baldaquin et
meubles anciens. Piscine en plein
air et excellents petits déjeuners.
Direction parfois quelque peu af-
fectée. 12 chambres.

Watermark Inn   ‖

603 Commercial Street
Provincetown, MA 02657
Tél. (508) 487-0165
N° vert 1-800-734-0165

L'un des sites les plus agréables à Provincetown. Vues sur l'océan et magnifiques couchers de soleil depuis les 10 suites, certaines équipées d'une kitchenette.

Whalewalk Inn   ‖-‖

Commercial Street
220 Bridge Road
Eastham, MA 02642
Tél. (508) 255-30617

L'une des auberges les plus accueillantes et chaleureuses du cap, construite dans les années 1830 pour un chasseur de baleines. Superbe mobilier de style; cadre agréable et très paisible. Demandez le chemin de l'auberge à Eastham. 12 chambres.

SALEM

Hawthorne Hotel   ‖

Salem Common
Salem, MA 019070
Tél. (508) 744-4080
Fax (508) 745-9842

L'hôtel le plus central et le plus grand de Salem, bien qu'il y règne une agréable ambiance familiale. Certaines chambres dominent le Salem Common. 89 chambres.

Salem Inn   ‖

7 Summer Street
Salem MA 019070
Tél. (508) 741-0680
Fax (508) 744-8924

Cette ravissante auberge en briques, datant de 1834, offre tout le confort d'un hôtel moderne. Cheminées dans certaines chambres et restaurant. Le petit déjeuner continental est servi dans la cour intérieure. 22 chambres.

CAP ANN

Chicataubut Inn   ‖

Long Beach
(à l'écart de la Route 127)
Rockport, MA 01966
Tél. (508) 546-3342

Une auberge simple et confortable, située sur Long Beach. Certaines chambres donnent sur l'océan. Les 13 chambres possèdent toutes une salle de bains privée.

Ralph Waldo   ‖
Emerson Inn

1 Cathedral Avenue (Route 127)
Pigeon Cove
Rockport, MA 01966
Tél. (508) 546-6321

L'auberge domine l'océan sur Pigeon Cove. Agréable bâtiment typique de la Nouvelle-Angleterre, avec long porche, piscine, bain à remous et sauna. 36 chambres.

Restaurants recommandés

Les restaurants sont souvent combles, de sorte qu'il vaut mieux réserver votre table. Vous pourrez ainsi vérifier que le restaurant est ouvert. Certains établissements n'ouvrent que pour le dîner, et ferment deux ou trois soirs par semaine. Certains des lieux les plus célèbres n'acceptent pas les réservations, et vous devrez parfois patienter longuement au bar pour obtenir une table. Dans certains restaurants, vous pourrez aussi dîner au bar.

Comme partout aux États-Unis, les portions sont copieuses (n'hésitez pas à demander à emporter les restes). Les personnes qui ont un petit appétit se contenteront généralement de deux plats (ou d'un plat de résistance). Boston a tendance à se décontracter, mais dans certains restaurants élégants, il faut encore porter veste et cravate.

Pour vous guider dans votre choix, les symboles ci-dessous indiquent le prix d'un dîner complet de trois plats, sans les boissons, les taxes (5%) et le pourboire (15 à 20%). Le déjeuner est généralement beaucoup moins cher, et de nombreux restaurants proposent des tarifs réduits si vous dînez avant 19h.

|||	plus de 40 $
||	de 20 $ à 40 $
		Moins de 20 $

BEACON HILL

King & I |
145 Charles Street
Tél. (617) 277-3320
Bon restaurant thaï, avec excellent satay et choix appétissant de fruits de mer. Ambiance décontractée. Autre établissement au 259 Newbury Street (à la hauteur de Gloucester Street), à Back Bay; tél. (617) 437-9611.

Rebeccas's ||
21 Charles Street
Tél. (617) 742-9747
Sandwichs, soupes, brunch, et dîner dans un bistro à la mode.

Ristorante Toscano ||-|||
41 Charles Street,
Tél. (617) 723-4090
Restaurant florentin raffiné et de bon goût qui est fier de l'authenticité de sa cuisine. Réservez.

CENTRE-VILLE

Blue Diner ▯

178 Kneeland St. (à South Street,
près du quartier financier)
Tél. (617) 338-4639
Un restaurant classique à l'ancienne. Plats copieux avec purée de pommes de terre et légumes, et gâteaux maison. Ouvert 24h sur 24 presque tous les jours.

Durgin-Park ▯-▯▯

340 North Market Street
Faneuil Hall Marketplace
Tél. (617) 227-2038
Cette institution vieille de 130 ans est célèbre pour son personnel agressif et ses haricots rôtis maison. Cuisine américaine servie à des tables communes.

Julien ▯▯▯

Le Méridien Boston
250 Franklin Street
(quartier financier)
Tél. (617) 451-1900, Poste 7120
Grande cuisine française traditionnelle servie dans un cadre magnifique. Réservez.

Locke-Ober ▯▯▯

3 Winter Place
(près de Downtown Crossing)
Tél. (617) 542-1340
Cette forteresse brahmane date de 1875 et ressemble à un club traditionnel. Vous serez entouré de boiseries et de vitraux. Veste et cravate de rigueur. Cuisines américaine et européenne traditionnelles.

Seasons ▯▯▯

Bostonian Hotel
(sur North et Blackstone Streets)
Faneuil Hall Marketplace
Tél. (617) 523-3600
Une oasis moderne et luxueuse au sommet de l'hôtel Bostonian, dominant le Faneuil Hall Marketplace. Nouvelle cuisine américaine impeccable. Réservez.

Union Oyster House ▯▯

41 Union Street
(près du Government Center)
Tél. (617) 227-2750
Le plus ancien restaurant de Boston, fondé en 1836. Le bar à huîtres est le plus typique de la ville. Grand choix de fruits de mer de Nouvelle-Angleterre.

QUARTIER DES THÉÂTRES

Jacob Wirth ▯▯

31 Stuart Street
Tél. (617) 338-8586
Des plats allemands comme la choucroute et le Wiener Schnitzel, et un grand choix de bières dans ce bar/restaurant qui a conservé son décor original du XIXe siècle.

75

Marais ▮▮

116 Boylston Street
(à Boylston Place)
Tél. (617) 482-7799
Restaurant décontracté. Les entrées au bar sont novatrices et spectaculaires; cuisine multiculturelle au dîner. Clientèle d'affaire.

Stage Deli of New York ▮

Tremont House Hotel
275 Tremont Street
Tél. (617) 523-3354
Un traiteur impeccable. Des sandwichs géants créés en fonction des préférences des célébrités qui ont visité l'établissement.

LE NORTH END

Daily Catch ▮▮

323 Hanover Street
Tél. (617) 523-8567
Cuisine sicilienne de qualité pour ce restaurant toujours très fréquenté. Ambiance décontractée. Il existe d'autres établissements au 261 Northern Avenue (à Fish Pier), sur le front de mer, tél. (617) 338-3093; et au 1 Kendall Square, à Cambridge, tél. (617) 225-2300.

European ▮

218 Hanover Street
Tél. (617) 523-5694
Le plus ancien restaurant italien de Boston. Immense et d'un aspect peu attrayant, il propose néanmoins de délicieuses pizzas géantes et de nombreux fruits de mer.

Jasper's ▮▮▮

240 Commercial Street
(à Atlantic Avenue)
Tél. (617) 523-1126
Le célèbre chef propose une cuisine de Nouvelle-Angleterre pleine d'imagination, servie dans des salles sans prétention. Réservez.

Ristorante Lucia ▮▮

415 Hanover Street
Tél. (617) 367-2353
Un restaurant italien complet et d'une grande qualité; plats traditionnels et aventureux. Décor raffiné avec fresques et miroirs.

LES QUAIS

Antony's Pier Four ▮▮▮

140 Northern Avenue
Tél. (617) 423-6363
Un célèbre restaurant de fruits de mer, avec vue sur le port, qui a accueilli le monde entier, de Liz Taylor à George Bush. Réservez.

No Name Restaurant ▮

15½ Fish Pier
(près de Northern Avenue)
Tél. (617) 423-2705
Un établissement très amusant et sans prétention offrant des fruits

de mer bon marché et d'excellente qualité. Prévoyez une attente.

BACK BAY

Atlantic Fish Co   ▮▮

777 Boylston Street
Tél. (617) 267-4000
Un restaurant animé et décontracté offrant un menu très varié.

Aujourd'hui   ▮▮▮

Four Seasons Hotel
200 Boylston Street
Tél. (617) 338-4400
Restaurant très raffiné et confortable dominant le Public Garden, meublé de confortables fauteuils et de nombreux tableaux. Cuisine de saison exceptionnelle. Réservez.

Biba   ▮▮-▮▮▮

272 Boylston Street
(à Arlington Street)
Tél. (617) 426-7878
Une nouvelle cuisine américaine pleine d'invention dans ce restaurant haut de gamme, mais décontracté. Des repas sont également servis au bar à la mode. Réservez.

Café Budapest   ▮▮▮

Copley Square Hotel
90 Exeter Street
Tél. (617) 734-3388
Cuisine hongroise servie dans des caves anciennes. Ce restaurant a la

réputation d'être le plus romantique de Boston. Réservez.

Davio's   ▮▮-▮▮▮

269 Newbury Street
(à Gloucester Street)
Tél. (617) 262-4810
L'un des repaires les plus prisés de cette rue: cuisine du nord de l'Italie et café avec tables en terrasse. Réservez.

L'Espalier   ▮▮▮

30 Gloucester Street
(à Newbury Street)
Tél. (617) 262-3023
Un des plus élégants restaurants français de la ville, dans une maison victorienne. Les prix sont élevés et le service guindé. Réservez.

Gyuhama   ▮▮

827 Boylston Street
(à Gloucester Street)
Tél. (617) 437-0188
Un restaurant japonais qui sert les meilleurs *sushi* de la ville. Service soigné. Très apprécié, et pas uniquement par les Japonais.

Hard Rock Café   ▮

131 Clarendon Street
(à Stuart Street)
Tél. (617) 424-7625
Hamburgers servis dans un décor rock; musique très forte et foule compacte. Apprécié des enfants.

77

Legal Sea Foods   ‖

Plaza, 35 Columbus Avenue
Tél. (617) 426-4444

Le porte-drapeau animé d'une célèbre chaîne de restaurants. Fruits de mer d'une fraîcheur impeccable, présentés avec élégance et cuisinés selon votre goût. Une expérience à ne pas manquer. Prévoir une attente. Les autres établissements se trouvent à Copley Place, 100 Huntington Avenue, Back Bay, tél. (617) 266-7775; et à Kendall Square, 5 Cambridge Center, Cambridge, tél. (617) 864-3400.

The Ritz-Carlton Dining Room   ‖‖

Hôtel Ritz-Carlton
15 Arlington Street
Tél. (617) 536-5700

Cuisine française raffinée et spécialités de Nouvelle-Angleterre servies dans une salle avec lustres et rideaux, sous un spectaculaire plafond doré. Réservez.

Turner Fisheries   ‖

À l'hôtel Westin
Copley Place
10 Huntington Avenue
Tél. (617) 424-7425

Fruits de mer de grande qualité, et sans doute la meilleure soupe de poissons de la ville, dans un cadre moderne et quelque peu aseptisé. Bar à huîtres et bar de jazz.

LE SOUTH END

Botolph's on Tremont   ‖

569 Tremont Street
(à Dartmouth Street)
Tél. (617) 542-2121

Des pâtes et des pizzas délicieuses et originales parmi une foule de South Enders jeunes et modernes. Bon rapport qualité-prix.

Hammersley's Bistro   ‖-‖‖

553 Tremont Street
Tél. (617) 423-2700

L'une des meilleures cuisines de France et de Nouvelle-Angleterre de la ville dans une ambiance décontractée et à la mode.

St Cloud   ‖

557 Tremont Street
Tél. (617) 864-6100

Un bistro amical et à la mode, fréquenté par une clientèle très chic. Repas servis au bar et dans une salle à manger raffinée.

CHINATOWN

Chau Chow   ‖

52 Beach Street
Tél. (617) 426-6266

Le restaurant ne paie pas de mine, mais il sert une excellente cuisine chinoise, notamment des fruits de mer. Il reste ouvert très tard.

CAMBRIDGE

Border Café
32 Church Street, Harvard Square
Tél. (617) 864-6100
Ce restaurant texan/mexicain est l'un des établissements les plus prisés des jeunes. Prévoyez une longue attente. Vous dînerez sur des tables en bois brut, entouré de fresques et de margaritas.

Casablanca
Brattle Theater, 40 Brattle Street
Harvard Square
Tél. (617) 976-0999
Un bar raffiné avec restaurant, musique de blues et un assortiment de pizzas, de pâtes, de hamburgers et de plats marocains.

Dali
415 Washington Street
(à Beacon Street), Somerville
Tél. (617) 661-3264
Un restaurant espagnol gai et authentique, en dehors des sentiers battus. Célèbre pour ses tapas.

East Coast Grill
1271 Cambridge Street
(à Prospect St), Inman Square
Tél. (617) 491-6568
Un fantastique barbecue et des plats des Caraïbes très épicés, arrosés de daïquiris et de margaritas, dans un cadre bruyant et animé.

Harvest
44 Brattle Street, Harvard Square
Tél. (617) 492-1115
D'intéressantes préparations américaines servies dans un bistro rénové. Déjeuners abordables, dîners plus coûteux.

Rarities
Charles Hotel, 1 Bennett Street
Harvard Square
Tél. (617) 864-1200
C'est sans doute le restaurant le plus impressionnant de Cambridge, avec des viandes, gibiers et poissons dans des plats élaborés de la nouvelle cuisine américaine; cadre raffiné. Réservez.

Upstairs at the Pudding
10 Holyoke Street
Harvard Square
Tél. (617) 864-1933
Salle agréable, avec terrasse sur le toit, au-dessus du théâtre Hasty Pudding. Cuisines européenne et italienne de qualité. Réservez.

PLYMOUTH

Station One + 1
51 Main Street
Tél. (508) 746-1200
Restaurant typique, installé dans une ancienne caserne de pompiers. Plats américains et européens.

79

CAP COD

Aesop's Tables   ▮▮▮
Main Street, Wellfleet
Tél. (508) 349-6450
Un bon restaurant servant de la nouvelle cuisine américaine dans six salles différentes, aménagées dans une ancienne résidence secondaire. Ouvert de la mi-mai à la mi-octobre.

Imprudent Oyster   ▮-▮▮
15 Chatham Bars Avenue
Chatham
Tél. (508) 945-3545
Des repas éclectiques dans une ambiance très animée.

Lobster Pot   ▮▮
321 Commercial Street
Provincetown
Pas de réservation
Des fruits de mer frais, préparés avec simplicité dans un cadre reposant et agréable, au-dessus de la plage. Demandez les plats du jour au déjeuner.

Napi's   ▮-▮▮
7 Freeman Street, Provincetown
Tél. (508) 487-1145
Un intérieur éclectique, un menu très varié et des plats savoureux – l'endroit idéal pour les végétariens. Ouvert pour le dîner en été et pour les trois repas en hiver.

SALEM

Nathaniel's   ▮▮
Hawthorne hotel, Salem Common
Tél. (508) 744-4080
Ce restaurant propose des plats à base de bœuf, de fruits de mer et de volailles dans un cadre raffiné.

Tammany Hall   ▮-▮▮
208 Derby Street
Pas de réservation
Un excellent restaurant servant une bonne soupe de poissons, des salades et des sandwichs.

CAP ANN

Folly Cove Pier   ▮-▮▮
Restaurant
325 Granite Street
Rockport
Tél. (508) 546-6568
Ce restaurant est l'endroit idéal pour un déjeuner ou un dîner à base de homard et de fruits de mer. Ouvert l'été seulement.

Peg Leg Restaurant   ▮-▮▮
18 Beach Street
Rockport
Tél. (508) 546-3038
Un bon choix pour le déjeuner ou le dîner, avec du homard, des fruits de mer et des spécialités comme le gâteau aux coquilles Saint-Jacques.

EAST CAMBRIDGE

La partie de Cambridge qui s'étend le long de la Charles River ne possède pas le charme de Harvard Square, mais abrite quelques édifices intéressants et de bons musées.

Le **Massachusetts Institute of Technology** (MIT) est la première institution scientifique du pays. Son campus ne pourrait être plus différent de celui de Harvard: les bâtiments d'architecture moderne y sont numérotés (le MIT ne s'est installé ici qu'en 1916). Le centre d'information du Rogers Building (77 Massachusetts Avenue) fournit des cartes qui vous permettront de découvrir les lieux par vous-même. Près du campus, on peut visiter le petit musée du MIT (ouvert du mardi au vendredi, de 9h à 17h, le samedi et le dimanche de 13h à 17h) au 265 Massachusetts Avenue. On y voit des globes de plasma interactifs, des hologrammes et des sculptures géométriques en trois dimensions. À l'ouest du Rogers Building, le superbe Auditorium Kresge mérite une visite avec ses murs de verre et sa chapelle circulaire.

Une belle sculpture d'Henry Moore se dresse dans Killian Court, à l'est du Rogers Building, devant le fameux dôme du MIT. Certains des bâtiments les plus audacieux du campus ont été conçus par I. M. Pei (créateur de la pyramide du Louvre à Paris et du Government Center de Boston) notamment le Weisner Building, qui abrite des expositions d'art contemporain.

Une navette d'autobus relie Kendall Square, à l'extrémité est du campus du MIT, à la CambridgeSide Galleria. L'impressionnant centre commercial au bord de l'eau abrite aussi le **New England Sports Museum** (musée des Sports de Nouvelle-Angleterre), un hommage amusant de la ville à ses champions.

On pourrait passer presque une journée au **Museum of Science** (musée de la Science), un complexe qui enjambe la Charles River. Certaines des 400 expositions ne sont compréhensibles que pour les diplômés du MIT, mais d'autres **81** s'adressent aux jeunes enfants. Le musée est un pionnier de l'apprentissage par l'expérience. On peut y voir de superbes modèles d'insectes agrandis 250 000 fois et des fossiles et reproductions de dinosaures; dans la Salle du corps humain, des exercices fascinants démontrent le fonctionnement des différents organes et des jeux

Les ours – ici, au musée de la Science – arpentent toujours la campagne de la région.

expliquent les différentes énergies. Le plus grand générateur Van de Graaff du monde mesure trois étages de haut dans le théâtre de l'Électricité; essayez d'assister à une démonstration des éclairs et de la foudre. Le Planétarium présente des spectacles de lasers et permet d'admirer les étoiles, tandis que le Mugar Omni Theater vous transporte vers des mondes merveilleux par écran interposé. Des excursions sur la rivière partent de la galleria et du musée de la Science (voir p.126).

À la découverte du Massachusetts

Si vous ne faites qu'une excursion depuis Boston, choisissez les deux petites villes de Lexington et Concord. Leurs monuments qui commémorent les escarmouches du 19 avril 1775, jour du début de la guerre d'Indépendance américaine (voir p.13), constituent un prolongement naturel de la Freedom Trail et sont parmi les plus significatifs du pays.

Il vaut mieux s'y rendre en voiture, car les différents sites sont relativement espacés. Le trajet depuis Boston dure 30 minutes par la route 2, puis la route 4/225. Vous pourrez voir les principaux sites historiques en une journée, mais il faudra revenir pour apprécier le riche héritage littéraire de Concord. En été, et chaque année le 19 avril (*Patriot's Day*), vous pourrez assister à des spectacles recréant les événements et voir des soldats exercer leurs talents dans un camp militaire. Pour plus de renseignements, appelez le 508-369-3120.

LEXINGTON

Le premier arrêt depuis Boston est le **Museum of Our National Heritage**. Il présente les lieux «où tout a commencé» et constitue un excellent point de départ.

Le premier signe de résistance survint sur **Lexington Battle Green**. Le capitaine Parker aligna 77 Minutemen (soldats entraînés pour «être prêts en une minute») face aux 700 soldats britanniques. Il ordonna: *«Tenez votre terrain! Ne tirez pas tant qu'ils n'ouvrent pas le feu! Mais s'ils veulent une guerre, qu'elle commence ici».* Un coup de feu éclata; huit Britanniques trouvèrent la mort.

Le terrain triangulaire, entouré de superbes maisons de bois blanc et d'une église, est entré dans l'histoire des patriotes. Sous un drapeau américain hissé au sommet d'un grand mât, une plaque indique: «berceau de la liberté américaine». Un monument commémore «les premières victimes de la tyrannie et de l'oppression britanniques», et la statue **83** d'un Minuteman regarde avec défi la rue principale d'où arrivèrent les Tuniques rouges. Des visites guidées permettent de découvrir trois des magnifiques bâtiments en bois qui jouèrent un rôle en ce jour fatidique: la **Buckman Tavern**, où les Minutemen se réunirent avant l'arrivée des Anglais; la **Munroe Tavern**, où certains Tuniques rouges vinrent se re-

poser au retour de Concord; et la **Hancock-Clark House**, où dormaient John Hancock et Samuel Adams lorsque Paul Revere arriva. La maison fut déplacée par des bœufs en 1896, mais elle fut ramenée à son emplacement d'origine sur des roulettes, en 1974.

CONCORD

Battle Road, qui longe sur une bonne distance la route 2A, relie Lexington à la ville de Concord. Elle fait partie du Minuteman National Historic

Le bar de la Buckman Tavern n'a guère changé depuis 1775.

84

Park. Le long de cette route, dans l'après-midi du 19 avril 1775, des troupes de patriotes harcelèrent les Anglais qui reculaient. Pour vous repérer, rendez-vous au centre des visiteurs de Battle Road. Sur la route de Concord, arrêtez-vous au site de la capture de Paul Revere et a la Hartwell Tavern, une auberge d'époque typique.

En arrivant à Concord, allez tout droit à **North Bridge**, qui constitue l'autre moitié du parc national. Les troupes anglaises dépêchées pour chercher une ferme où entreposer des armes, rencontrèrent des colons sur le pont. Après quelques échanges de coups de feu qui firent plusieurs victimes de part et d'autre, les Anglais battirent en retraite. C'est ici que les Américains résistèrent pour la première fois par la force et *«tirèrent le coup de feu qui fit le tour du monde»*, selon les termes de Ralph Waldo Emerson. Franchissez le pont branlant (qui n'est pas d'origine) pour aller admirer la statue du Minuteman, symboliquement armé d'un fusil et d'une charrue (Emerson les avait surnommés avec romantisme les «fermiers combattants»). Suivez l'allée jusqu'au sommet de la colline où se trouve le centre des visiteurs. Vous y verrez un film vidéo retraçant la bataille et un magasin de souvenirs.

Les maisons littéraires

L'héritage littéraire de la ville de Concord est nettement plus durable que sa célébrité militaire. On visite quatre magnifiques maisons d'époque, avec leur mobilier et leurs cachettes à trésors d'origine. Soyez sélectif, sauf si vous avez récemment relu toute la littérature américaine du XIXe siècle.

L'**Old Manse** occupe le site le plus magnifique, dans un champ tout proche du North Bridge. Elle fut construite par le révérend William Emerson, qui observa la bataille depuis sa fenêtre; son petit-fils Ralph y vécut également. Les trois autres maisons sont groupées aux abords de la ville, sur ou à proximité de la route 2A qui va vers Lexington: **Emerson House**, construction majestueuse, abrite des livres et des **85**

possessions de l'écrivain; **Orchard House**, enchanteresse et accueillante, a appartenu aux Alcott; enfin, la **Wayside** possède une histoire de 170 ans, et a appartenu tour à tour aux Alcott et à Nathaniel Hawthorne.

La ville de Concord apporte une charmante antidote à cette «surdose» de culture, avec ses **86** nombreuses boutiques. Em-

Découvrez ce qu'était la vie rurale au XIXᵉ siècle en visitant le vieux village de Sturbridge.

portez un pique-nique et suivez Walden Street et la route 126 jusqu'à **Walden Pond**, un lac entouré de petites plages de sable et abrité par une épaisse forêt (il y a parfois du monde). Henry David Thoreau, essayiste, poète, philosophe et ami d'Emerson, y vécut de 1845 à 1847. Près du parking principal, on peut visiter une réplique de sa hutte, contenant trois chaises, un lit, une table, un bureau et un poêle.

LE VIEUX VILLAGE DE STURBRIDGE

C'est ce qui se rapproche le plus d'un parc à thème au Massachusetts. Des édifices de Nouvelle-Angleterre ont été soigneusement recréés pour former un superbe village du début du XIXe siècle. On y trouve tous les commerces essentiels à une communauté de l'époque – une taverne avec ses poutres, une banque en briques, les bureaux d'un avocat, d'un étameur, d'un cordonnier. Des allées poussiéreuses mènent chez le forgeron, à l'atelier d'un potier, et à une ferme. Des animaux paissent et des récoltes poussent. Tout est d'époque, sauf les frites et les glaces servies au café.

Les «autochtones» se livrent à leurs activités quotidiennes dans les boutiques, les maisons et les ateliers: les tonneliers fabriquent des tonneaux, les forgerons façonnent des fers à cheval. En les observant et en leur parlant de leur travail, on découvre ce qu'était la vie à cette époque. Le village est à 1h30 à l'ouest de Boston, sur la route 20. L'entrée semble coûteuse, mais n'est pas excessive, car ce seul billet donne accès à l'ensemble du village. Vous y passerez toute une journée. Pour plus de détails, appelez le 508-347-3362.

PLYMOUTH

En visitant cette ville, on ne peut oublier son héritage historique. C'est ici que les Pères pèlerins débarquèrent du *Mayflower* en 1620, cherchant à échapper aux persécutions religieuses dont ils étaient victimes en Angleterre. À moins d'une heure de Boston, des musées vous attendent et des boutiques de souvenirs vendent des chapeaux noirs comme en portaient les pèlerins, ainsi **87**

*L*e Mayflower II *(à gauche) et une pionnière sur la Plimoth Plantation (à droite).*

voyage de 66 jours. Promenez-vous sur les ponts et parlez aux acteurs qui jouent le rôle des marins et des pèlerins. Tout près, le **Plymouth Rock**, fait l'objet d'une véritable vénération, même s'il n'a rien de spectaculaire : il s'agirait de la première parcelle de terre foulée par les pèlerins à Plymouth, symbole national de la liberté civile et religieuse.

«Bienvenue au XVIIe siècle», proclame un panneau devant la **Plimoth Plantation**, à quelques kilomètres au sud de la ville. Les villageois, qui habitent les huttes en clayonnage couvertes d'argile et entourées de palissades, vivent comme en 1627. Les personnages de la plantation vous parleront de leur mode de vie et de leurs convictions religieuses tout en s'occupant de leurs vaches et de leurs moutons. Vous pourrez aussi ren-

que des répliques du *Mayflower* dans des bouteilles.

Partez du ***Mayflower II,*** construit en Angleterre, et qui traversa l'Atlantique en 1957. Cette réplique approximative du vaisseau d'origine permet de découvrir les conditions difficiles dans lequelles les **88** 102 passagers effectuèrent leur

LE CAP COD

Des plages fabuleuses, la brise vivifiante, une lumière vive et le bleu de cobalt de la mer, le jaune éclatant du sable et le vert vif des marécages, de superbes villages, des galeries d'art, les fruits de mer et les petites rues: ce ne sont là que quelques-uns des attraits du cap Cod qui séduisent le monde entier. H. D. Thoreau l'avait surnommé «le bras nu et replié du Massachusetts». En été, les touristes y affluent désormais.

Si la circulation est fluide – évitez l'exode massif du vendredi soir, notamment l'été (voir p.122) – on atteint Sandwich, le point le plus proche du cap, en une heure depuis Boston. Mais avec ses nombreuses auberges, pourquoi ne pas y passer un ou deux jours? Pour apprécier les charmes du cap, il faut prendre le temps de s'attarder sur une terrasse pour admirer un coucher de soleil couleur rubis, et se lever tôt pour contempler les brumes de l'aube. Si vous avez l'intention d'y passer quelques jours en été, mieux vaut réserver.

contrer Hobbamock, un voisin Indien, dans son campement. L'entrée est chère, mais le village est magnifiquement recréé. Vous pouvez acheter un billet groupant la visite du village et celle du *Mayflower II*.

De tous les musées de la ville, le **Pilgrim Hall Museum** est le plus important. Vous y verrez des objets ayant appartenu aux pèlerins, comme des bibles et un berceau, et les documents d'origine des pactes envoyés par le roi d'Angleterre Jacques Ier aux colons.

89

Les plus beaux sites du cap se trouvent sur la côte Nord et le long du «bras supérieur». Les plages abritées de la baie du cap Cod peuvent se transformer en marécages boueux à marée basse; celles de la côte Est sont spectaculaires, mais le courant y est parfois très fort, et quand il fait très beau, les parkings voisins sont parfois combles. Pour se rendre sur les plages municipales, il faut généralement acheter un permis à la mairie.

Prenez la **route 6A** après le pont de Sagamore. Les villages se succèdent le long de la

Le phare de Race Point, vu depuis le monument aux Pères pèlerins de Provincetown.

côte en un ruban de jolis cottages, de pelouses verdoyantes et de boutiques proposant des fleurs, des poteries, de la vannerie. De nombreuses petites routes perpendiculaires mènent aux plages.

Vous atteindrez alors **Sandwich**, la plus ancienne communauté du cap, avec ses petits bâtiments coquets. Un musée est consacré aux poupées, un autre à des objets de verre, vous pourrez admirer une collection de voitures anciennes, des objets militaires et les arts locaux dans les jardins soignés de l'Heritage Plantation.

Certaines des belles résidences victoriennes bordant la rue principale de **Brewster** – où habitaient jadis de riches capitaines de mer –, ont été transformées en auberges de luxe. Cette communauté est aujourd'hui la plus prospère du cap.

Traversez les terres pour vous rendre à **Chatham**, une ville bourgeoise entourée par l'océan sur trois côtés, avec sa rue principale accueillante et ses maisons usées par les intempéries. À Fish Pier (port aux poissons), dans un canal

Un bon point d'observation! Un maître-nageur sur la Cape Cod National Seashore.

naturel pittoresque protégé par une plage, les touristes viennent observer le déchargement des chaluts. Vous pourrez aussi admirer ce spectacle en montant au phare de Chatham, surplombant une plage très prisée. Des bateaux transportent les amateurs d'ornithologie vers **91** l'île de Monomoy depuis Morris Island.

Du **Cape Cod National Seashore**, vous apprécierez des vues typiques sur le cap au son des vagues qui se brisent sur des plages bordées d'énormes dunes. En raison de la fragilité des dunes, l'accès est par endroit limité à des planches. Salt Pond, près d'Eastham, présente une exposition de toutes les facettes naturelles et humaines de la région. À Province Lands, près de Provincetown, vous pourrez monter sur le toit pour bénéficier d'une vue panoramique sur les dunes maintenues en place par de frêles piquets et des chênes.

Tout est permis à Provincetown, où la population peut se multiplier par 11 en été.

Le monument des pèlerins à **Provincetown** offre une vue

encore plus impressionnante. Du sommet de cette tour de 77m, vous verrez la mer dans toutes les directions et sous vos pieds, une ville s'abritant des éléments au creux d'une main de terre repliée. C'est ici que les pèlerins débarquèrent, même s'ils s'installèrent à Plymouth où le sol était plus fertile. Le musée, situé au pied de la tour, raconte cette histoire.

À P-Town, comme elle est parfois surnommée, chacun trouve son bonheur. Les familles aiment son allure de ville de vacances, avec ses boutiques vendant des T-shirts, des bibelots et différents objets en bois, et apprécient ses multiples excursions de pêche ou d'observation des baleines. Mais c'est aussi la Mecque de la culture alternative, un lieu où l'on peut obtenir des lectures psychiques et des cartes d'astrologie, où des couples homosexuels se promènent dans les rues main dans la main, et où des travestis en tenues très voyantes tentent d'attirer les visiteurs vers des cabarets. Il y a de nombreuses galeries d'art, certaines excellentes, en particulier

dans l'East End. L'été, cette foule hétéroclite envahit la ville, et toutes les maisons d'hôtes affichent complet. L'hiver, on a pour compagnie celle des résidents, dont bon nombre sont des artistes, des pêcheurs ou des restaurateurs portugais. On peut faire une excursion d'une journée à Provincetown depuis Boston (voir p.126), mais il faut rester plus longtemps pour vraiment découvrir la ville.

La vie est plus calme à **Wellfleet**, à quelques kilomètres au sud. Cette petite ville possède aussi ses galeries d'art et ses beatniks, mais elle est plus tranquille, avec son port de pêche sans prétention, sis dans une anse spectaculaire.

LA CÔTE NORD

Au-delà des horribles banlieues nord de Boston, s'étend de Marblehead à cap Ann une superbe côte rocheuse bordée de pittoresques ports de pêche, de plages de sable fin et d'élégantes et vastes maisons des riches Bostoniens.

Des trains de banlieue (voir p.138) relient Boston à Salem, **93**

Manchester, Gloucester, et Rockport, mais le plus souvent, ils vous conduiront bien loin des plages et des attractions. En été, la circulation est moins intense que sur le cap Cod, mais demeure assez chargée. Depuis Boston, prenez la route 1A, puis la 129 jusqu'à **Marblehead**. Des pêcheurs des Cornouailles furent les premiers à s'installer ici. Aujourd'hui, on aperçoit à peine les eaux du port entre les bateaux de plaisance; les drisses claquent et de grosses voitures sont garées devant les riches clubs de plaisanciers. Le goulet de Marble Neck forme un superbe port naturel, entouré de résidences et d'un petit parc à sa pointe, mais vous apprécierez surtout les rues escarpées de la vieille ville, bordées de maisons du début du XVIIIe siècle. Chacune porte une plaque de bois représentant un poisson, la date de la construction ainsi que le nom et la profession de ses propriétaires.

Une ville ensorcelante

Des librairies consacrées à la magie, des diseuses de bonne aventure, une maison hantée, un donjon, un musée, et même un vampire en costume rappellent les procès des sorcières de **Salem** qui se déroulèrent dans cette petite ville en 1692. Une ligne rouge au sol permet de parcourir l'**Heritage Trail** qui relie les principales attractions, comme la Freedom Trail à Boston, mais bon nombre de ces sites n'ont aucun fondement historique. Cette promenade comprend également la tradition maritime de la ville – qui fut à une époque l'un des principaux ports américains.

Partez du centre des visiteurs du parc national, sur la place du musée à Essex Street,

Singing Beach, jolie plage de la North Shore (à gauche); belle prise à Rockport (ci-dessous).

L'hôtel de ville de Salem (à gauche) et l'écrivain Nathaniel Hawthorne (à droite).

Nathaniel Hawthorne. Cette demeure du XVIIe siècle est aujourd'hui entourée d'autres édifices de bois de la même époque qui ont été apportés jusqu'ici, notamment la maison natale d'Hawthorne

La promenade vous ramène ensuite sur une ravissante petite place de marché, où le procès d'une certaine Bridget Bishop est reconstitué (le public décide de son sort). Enfin, les enfants apprécieront le **Witch Dungeon Museum** (musée du Donjon de la Sorcière). Après une représentation théâtrale, une visite vous conduira dans les cellules des femmes accusées de sorcellerie.

Le cap Ann

Depuis Salem, la route côtière du cap Ann traverse Manchester, avec sa superbe plage de Singing Beach. Juste après

pour vous procurer une carte de l'Heritage Trail. Arrêtez-vous d'abord aux **Peabody** et **Essex Museum**. Le premier présente une histoire maritime de Salem, et le second propose des documents d'origine liés à la sorcellerie. Les enfants adorent le **Salem Witch Museum** (musée des Sorcières de Salem), où un spectacle présente des scènes de 1692.

Puis rejoignez la **House of the Seven Gables** (maison aux Sept Pignons), rendue célèbre **96** par le roman homonyme de

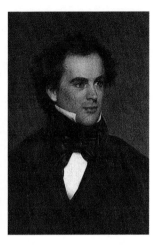

Poursuivez vers le sud jusqu'à Eastern Point et **Beauport**. Une visite guidée vous permettra d'y découvrir une quarantaine de petites pièces très décorées. Conçue pour impressionner et distraire ses visiteurs, cette maison n'était habitée que par un homme.

En prenant la route côtière vers le sud jusqu'à **Rockport**, vous passerez devant les plages de sable de Good Harbor Beach et Long Beach. Le port de Rockport est une vue de carte postale, et le *motif n°1*, une bicoque de bois rouge couverte de bouées de couleurs vives, est l'un des lieux les plus photographiés de Nouvelle-Angleterre, d'où son nom.

Les visiteurs affluent en été, notamment à Bearskin Neck, le long du port. Des petites maisons à pignons garnies de fleurs longent ce très joli site touristique, chacune consacrée à la vente d'un produit spécifique. Après vos achats, demandez la direction de la Paper House (maison de papier). Ce chalet et tout ce qu'il contient a été construit avec le papier de 100 000 journaux.

Magnolia, faites un arrêt au **Hammond Castle Museum** (musée du Château de Hammond), un mélange de château de la Renaissance française, d'église gothique et de château-fort médiéval, construit par l'inventeur J. H. Hammond, Jr.

Gloucester est le plus ancien port de pêche des États-Unis. De nombreux goélands sont installés sur le toit des usines qui bordent les quais, tandis qu'un flux de chalutiers et de bateaux d'excursion se succèdent dans le port.

97

Que faire

Les achats

Où et quand faire des achats

La plupart des magasins ouvrent à 9h ou 10h et ferment entre 17h30 et 19h. Les grands magasins restent généralement ouverts jusqu'à 19h. Certains grands centres commerciaux, comme le Faneuil Hall Marketplace, ferment à 21h en semaine, et ouvrent de 12h à 18h le dimanche.

Dans le quartier piétonnier autour du **Downtown Crossing**, le long de Washington, Winter et Summer Streets, vous pourrez voir des grands magasins comme Filene's et Jordan Marsh – le plus grand magasin de Nouvelle-Angleterre – ainsi que des boutiques à l'ancienne le long des rues adjacentes.

Le **Faneuil Hall Marketplace** est le lieu idéal pour les cadeaux: une multitude de boutiques spécialisées proposent cerfs-volants, caleçons, bibelots, chandails irlandais tricotés à la main et bien d'autres objets d'artisanat.

À Back Bay, le centre commercial de **Copley Place** – qui manque d'âme avec son atrium en marbre – accueille plus d'une centaine de boutiques, dont un grand nombre sont des succursales de magasins de mode célèbres. Les nouvelles arcades du **Prudential Center** viennent compléter les magasins haut de gamme que sont Saks Fifth Avenue et Lord and Taylor. Mais le shopping à Back Bay passe obligatoirement par **Newbury Street**, avec ses superbes boutiques d'antiquités, ses belles galeries d'art et ses créateurs d'avant-garde.

À Cambridge, l'impressionnant atrium de la **Cambridge-Side Galleria** abrite quelques grands magasins et de nombreuses boutiques de mode. Les multiples magasins entourant **Harvard Square** sont plutôt destinés aux étudiants.

*V*ous cherchez un cadeau? *Les boutiques de Faneuil Hall vous offrent l'embarras du choix.*

Vos achats

Art et Antiquités: les vitrines de Newbury Street attireront votre attention sur des objets de grande valeur, réservés aux collectionneurs professionnels. Vous y trouverez également des antiquités exceptionnelles, mais c'est à Charles Street, à Beacon Hill, que vous découvrirez un bric-à-brac meilleur marché et des gravures anciennes. La boutique du musée des Beaux-Arts (également située à Copley Place) possède une excellente collection de reproductions de sculptures, de tableaux, de bijoux anciens et de nombreux livres.

Bijoux: la Bourse des Joaillers, au 333 Washington Street, abrite un petit centre commercial réunissant uniquement des bijoutiers. Le joailler le plus prestigieux est Tiffany's and Co, à Copley Place.

Fruits de mer: la chaîne de restaurants Legal Sea Foods expédie des homards vivants dans tous les États-Unis (tél. 254-7000 ou 1-800-343-5804). La Bay State Lobster Co., au 379-395 Commercial Street (tél. 523-7960), dans le North End, offre le même service, et mérite une visite simplement pour le spectacle des clients sélectionnant leur proie dans des viviers géants.

Jouets: un ours en peluche géant vous salue devant le meilleur magasin de jouets de la ville, FAO Schwartz, au 440 Boylston Street, à Back Bay. On trouve au Faneuil Hall Marketplace des petites boutiques de jouets, ainsi qu'un magasin Disney. Les musées de la Science, de l'Ordinateur et des Enfants possèdent aussi d'excellentes boutiques.

Musique: les compact-discs sont généralement moins chers aux États-Unis qu'en Europe. Allez visiter le magasin Tower Records, situé au 360 Newbury Street, et les boutiques discount de Harvard Square.

Sports: vous trouverez, dans les stades et les centres commerciaux, des boutiques de souvenirs vendant toutes sortes d'objets, comme des photos dédicacées et les tenues des principales équipes de Boston.

L'un des plus beaux magasins d'antiquités de Charles Street, à Beacon Hill.

Le paradis des bibliophiles

Cambridge abrite plus de librairies par habitant (33 au dernier recensement) que toute autre ville des États-Unis. Sa principale concurrente est sans doute Boston. Bon nombre de ces établissements sont spécialisés – livres policiers, poésie, littérature étrangère, féministe, sciences occultes – et la plupart jouent un rôle déterminant dans la vie quotidienne. Ce sont des lieux où les habitants aiment se rencontrer. Elles restent souvent ouvertes jusqu'à 23h, sept jours sur sept.

BRATTLE BOOK SHOP, 9 West St., centre-ville – une librairie pleine d'ambiance qui regorge de livres anciens.

B.U. BOOKSTORE, 660 Beacon St., Kenmore Square – la librairie de l'Université de Boston, la plus grande de Nouvelle-Angleterre. On y trouve aussi un agréable café.

GLOBE CORNER BOOKSTORE, 1 School St., centre-ville – cette librairie occupe un bâtiment historique (voir p.29) et est spécialisée dans les ouvrages consacrés à Boston et à la Nouvelle-Angleterre.

GROLIER POETRY BOOKSHOP, 6 Plympton St., Harvard Square – une minuscule librairie pleine d'ambiance.

HARVARD BOOKSTORE CAFÉ, 190 Newbury St., Back Bay – on y mange bien parmi les livres.

WATERSTONE'S, 26 Exeter St. (à Newbury St.), Back Bay – une librairie britannique, raffinée et spacieuse.

WORDSWORTH BOOKS, 30 Brattle St., Harvard Square – pour trouver de multiples livres à prix réduits.

Vêtements: Louis, situé au 234 Berkeley Street, est l'un des magasins les plus impressionnants et les plus coûteux de la ville. Si vous recherchez une veste signée d'un créateur local ou une robe de grand couturier européen, allez explorer les boutiques de Newbury Street. Quant aux meilleures affaires, vous les trouverez chez Filene's Basement (voir p.35).

Les distractions

Consultez les journaux et les magazines de Boston pour connaître les principaux événements programmés durant votre séjour (voir p.131).

Le répertoire classique

Après New York, Boston offre les meilleures représentations de **musique classique** des États-Unis. Le Boston Symphony Orchestra (ou BSO) occupe le Symphony Hall, une salle dotée de l'une des meilleures acoustiques du monde. L'orchestre interprète des morceaux sérieux durant la saison d'hiver, et des pièces plus légères, appelées **Boston Pops**, en mai et juin. Au début juillet, les Pops s'installent au Hatch Memorial Shell, sur l'Esplanade bordant la rivière; la représentation du 4 juillet attire des milliers de spectateurs.

Le collège de Musique de Berklee et le conservatoire de Musique de Nouvelle-Angleterre proposent des concerts exceptionnels. La liste des différents récitals de musique de

chambre et de chorales à travers la ville figure dans les guides hebdomadaires (voir p.131). Deux endroits sont très agréables pour apprécier la musique: le Fine Arts Museum, qui met souvent à l'honneur les instruments anciens, et l'Isabella S. Gardner Museum.

Des trois principales compagnies d'**opéra** de la ville, l'Opera Company of Boston est sans doute la plus réputée. Quant à la **danse**, le Ballet de Boston donne des représentations classiques et modernes, et la troupe Dance Umbrella est célèbre pour son travail novateur de haute qualité.

Le théâtre

Les Bostoniens se plaignent parfois de ne pouvoir assister aux grandes pièces qu'à titre d'essai, avant leur passage à Broadway, ou au contraire, après qu'elles aient fait deux

D es pièces de théâtre aux expositions sur Malcolm X, il y en a pour tous les goûts à Boston.

fois le tour du monde. Pourtant, les théâtres de style colonial datant du début du siècle, qui entourent Tremont Street, ont vu passer la plupart des grands acteurs de ce siècle.

Le travail des compagnies locales comme l'Huntington Theater Company ou l'American Repertory Theater, au Loeb Drama Center de Harvard, est aussi fascinant que les dernières grandes comédies musicales. La pièce *Shear Madness* – une comédie policière (au Charles Playhouse) à laquelle le public participe en interrogeant les suspects – est, hors comédies musicales, le spectacle qui compte le plus de représentations dans toute l'histoire américaine.

Les comiques

Certains des plus grands talents comiques du pays se produisent dans les nombreux clubs de la ville, comme le Catch A Rising Star au Charles Playhouse et la Comedy Connection au Faneuil Hall Marketplace. Procurez-vous le programme des différents clubs. **103**

CALENDRIER DES MANIFESTATIONS

L'Office du tourisme (Greater Boston Convention and Visitors Bureau) publie des calendriers bisannuels qui indiquent les dates exactes de tous les événements et fêtes de la ville.

Janvier. Le *Chinese New Year* (Nouvel an chinois) est célébré à Chinatown (a parfois lieu en février).

Février. *Boston Festival*: festivités hivernales, avec un concours de sculpture sur glace. Souvent lié à la célébration de la Saint-Valentin.

Mars. *St Patrick's Day*: les fêtes irlandaises sont nombreuses au sud de Boston («Southie»), la petite Irlande de la ville.

Avril. *Patriot's Day*: reconstitutions des prémices de la guerre d'Indépendance américaine, centrées autour de Concord et Lexington. Le *marathon de Boston* se déroule ce même jour (le troisième lundi d'avril): c'est l'une des plus anciennes compétitions sportives des États-Unis, qui attire plus de 9000 concurrents.

Mai. *Boston Pops*: début de la saison d'été du Boston Symphony Orchestra (dure 2 mois). *Art Newbury Street*: journée portes ouvertes dans les galeries d'art; jazz et musique classique dans les rues (aussi en sept.). *Annual Kite Festival*: fabrication et démonstrations de cerfs-volants à Franklin Park. *Street Performers Festival*: magiciens, jongleurs et musiciens envahissent le Faneuil Hall Marketplace.

Juin. *Bunker Hill Day*: reconstitution de la bataille et parade à Charlestown. *Festival de Jazz du Boston Globe*: une semaine de concerts, gratuits le midi.

Juillet. *Harborfest*: une semaine de concerts et de fêtes (comme la Chowderfest, une compétition permettant de désigner la meilleure soupe de clams de la ville, et la sortie dans le port de l'*USS Constitution*). La semaine s'achève par le concert du 4 juillet (*Independence Day*)des Boston Pops et un feu d'artifices tiré sur l'esplanade du Hatch Memorial Shell. *Italian Street Festival*: parades dans les rues, plats italiens et distractions presque tous les week-ends dans le North End; ces festivités se poursuivent aussi en août (voir p.37).

Octobre. *Columbus Day*: parade à East Boston ou dans le North End. *Head of the Charles Regatta*: compétition d'aviron (une journée).

Décembre. *Boston Tea Party Re-enactment*: au musée de la Tea Party et à l'Old South Meeting House, reconstitution de la *Boston Tea Party*. *Saint Sylvestre*: célébrations du Nouvel an.

La vie nocturne

Cambridge possède quelques bons **clubs de jazz**, comme le fameux Regattabar au Charles Hotel. Pour tous renseignements, appelez la ligne du jazz au 787-9700.

Pour vous défouler davantage, aventurez-vous dans les clubs de **Boylston Place**, donnant sur Boylston Street. Pour danser avec énergie au cœur d'une foule jeune, entrez dans les clubs de l'«Entertainment Zone» sur **Lansdowne Road**, près du stade de Fenway Park.

La soirée du jeudi est l'une des plus animées dans les **bars**, car de nombreux résidents quittent la ville pour le week-end. Deux des lieux les plus raffinés sont le paisible Bar du Ritz et le piano bar de l'hôtel Four Seasons, plus animé.

Essayez Diamond Jim au Lenox (voir p.70), un piano bar convivial, et côtoyez des hommes politiques au Last Hurrah de l'Omni Parker House (voir p.67). Pour rencontrer la jet society de Boston, allez prendre un verre au Biba (voir p.77) ou au Marais (voir p.76).

Vous ne serez jamais loin d'un pub irlandais. L'un des plus typiques est le Black Rose, au 160 State Street, avec sa bière Guinness et ses spectacles quotidiens de ballades irlandaises. À la Commonwealth Brewing Company, au 138 Portland Street, vous boirez de la bière *bitter, stout* ou *porter* dans un décor de tuyaux. Si le Bull and Finch (voir p.26) à Beacon Hill est trop encombré, allez au Sevens, au 77 Charles Street, un pub de quartier classique et accueillant.

Les distractions en plein air

L'été, les Pops (voir p.104) et différents spectacles – films, danse, concerts – s'installent au Hatch Shell de juin à septembre. Un orchestre occupe parfois la place de l'Hôtel de Ville ou Copley Square le vendredi soir. Toute l'année, on rencontre des amuseurs publics autour de Harvard Square, depuis les saxophonistes jusqu'aux imitateurs des Beatles, en passant par les jongleurs et les cracheurs de feu. **105**

Les sports

Spectacles sportifs

L'équipe de baseball des **Red Sox** est très populaire car elle approche toujours de la victoire, mais n'a plus remporté de titre national depuis 1918.

Les **Celtics** (basketball) et les **Bruins** (hockey sur glace) sont en revanche couronnés de succès, avec des joueurs légendaires comme Larry Bird, récemment retraité, chez les Celtics, et Bobby Orr chez les Bruins. Leurs drapeaux victorieux remplissent les tribunes du Boston Garden, un stade qui date de 1928 (voir p.38).

Les **Patriots** (football américain) ne soulèvent pas une grande ferveur car ils perdent souvent et jouent en général à l'extérieur de la ville, au Foxboro Stadium.

Le plus ancien **marathon** annuel au monde se déroule à Boston le troisième lundi du mois d'avril, jour du Patriot's Day. La **régate Head of the Charles** est organisée l'avant-dernier dimanche d'octobre sur la Charles River. Ces deux événements attirent des milliers de spectateurs. Enfin, les amateurs de sport peuvent visiter le musée des Sports de Nouvelle-Angleterre (voir p.81).

Sports à pratiquer

Le port de Boston est très animé, de sorte qu'il faut être très expérimenté pour y pratiquer la voile. Si c'est le cas, visitez les clubs qui longent les quais du centre-ville. On vogue à un rythme plus tranquille sur la Charles River. Contactez le Community Boating, derrière le Hatch Memorial Shell sur l'Esplanade (tél. 523-1038). Les hôtels de luxe disposent d'une piscine et de salles de sport. La YMCA (auberge de jeunesse), située au 316 Huntington Avenue, offre de nombreux équipements.

Les amateurs de jogging pourront aller courir le long de

Montez à bord et prenez la direction des criques et des caps qui bordent la côte.

l'Esplanade. Si vous souhaitez faire du «rollerblade» (patin dont les roulettes sont alignées), vous pourrez louer des patins chez Beacon Hill Skate, au 135 Charles Street South (tél. 482-7400) et chez Back Bay Bicycles, au 333 Newbury Street (tél. 247-2336). Les multiples embouteillages vous décourageront sans doute de louer une bicyclette.

Un moment de répit à Copley Square; spectacles de lumière au musée de la Science (à droite).

Pour les enfants

Les arrêts les plus prisés par les enfants sur la Freedom Trail sont l'*USS Constitution* et le musée de la Boston Tea Party. Durant le weekend, le National Historical Park et Boston By Foot proposent des promenades pour enfants sur la Freedom Trail.

La ville dispose de nombreux musées destinés aux enfants: le Children's Museum, l'Aquarium et le Science Museum retiendront l'attention de la plupart des enfants, tandis que le Computer Museum et le Zoology Museum, à Cambridge, séduiront les adolescents. Le Public Garden (voir p.46) a beaucoup à offrir aux jeunes enfants, avec ses promenades en «swan boats» l'été et les statues représentant des petits canetons: les quartiers historiques (voir p.125) donnent vie au conte de Robert McCloskey. Le zoo ne mérite pas une visite à lui seul: ajoutez-le à une promenade plus longue dans les alentours. Les excursions d'observation des baleines (voir p.44) sont bien plus

attrayantes. Les promenades en bateau dans le port sont toutes très amusantes; prenez le ferry pour les îles du port, où vous pourrez vous promener et vous baigner.

Boston est une ville de rêve pour les enfants (et les parents) passionnés de sport. À tout moment de l'année, une grande équipe au moins se produit dans la ville. Si vous n'avez pas la chance de voir les Celtics ou les Bruins en action, allez visiter leur salle, le Boston Garden, et regarder certains de leurs plus grands matches en vidéo au musée des Sports de Nouvelle-Angleterre (voir p.81).

Consultez le programme du Théâtre de marionnettes de Brookline (tél. 731-6400). Le calendrier hebdomadaire du *Boston Globe* donne la liste des spectacles destinés aux enfants et aux adolescents, et le Convention and Visitors Bureau (voir p.132) offre un excellent guide intitulé *Kids Love Boston*, ainsi qu'une brochure concernant les hôtels qui proposent des tarifs préférentiels aux familles.

Les plaisirs de la table

À Boston, les restaurants sont nombreux et variés. L'océan Atlantique tout proche fournit des fruits de mer qui raviront les amateurs. En outre, les prix sont nettement plus abordables qu'en Europe.

Quand manger

Pour éviter les **petit-déjeuners** coûteux des hôtels, essayez les cafés de la ville. Vous ne serez jamais loin d'un café-pâtisserie de la chaîne française «Au Bon Pain», où vous pourrez déguster un café agrémenté d'un vaste assortiment de croissants et de gâteaux.

Le **brunch** (repas consistant tenant lieu de petit-déjeuner et de déjeuner) est servi de 11h à 15h le dimanche. Les grands hôtels proposent des buffets gargantuesques où l'on se sert à volonté, et qui vous permettront d'attendre le dîner.

Compte tenu du rythme accéléré de la ville, beaucoup de Bostoniens prennent leur **déjeuner** «sur le pouce», ou se contentent d'un sandwich dans l'un des cafés de la ville. Dans les restaurants, le déjeuner est bien moins cher que le dîner.

Les oisifs prennent le **thé** entre 15h et 17h. Rejoignez-les dans les meilleurs hôtels pour savourer une tasse d'Earl Grey et quelques cakes.

À Boston, on **dîne** tôt, généralement entre 18h30 et 21h. Un restaurant bondé à 20h30 peut être vide une heure plus tard; pour éviter les attentes, allez dîner plus tôt ou tard. Sachez cependant qu'il est parfois difficile de dîner après 22h.

Où manger

Le menu de Beantown («la ville aux haricots», comme on surnomme parfois Boston) se composait autrefois de haricots, de pain noir et de légumes bouillis. On trouve encore les petits légumes secs grillés, au parfum fumé caractéristique, dans des établissements à l'ancienne, tels Durgin-Park. On savoure des plats «Yankee» plus traditionnels, comme le

pudding indien, dans des **restaurants-institutions**, tels que l'Union Oyster House, Locke-Ober ou Parker's à l'hôtel Omni Parker House (voir notre liste de restaurants, pp.74-80).

À l'opposé, quelques chefs novateurs ont fait entrer depuis une dizaine d'années la cuisine de Boston dans la fin du XXe siècle. Allez apprécier leur **cuisine de Nouvelle-Angleterre** pleine d'imagination chez Biba, Jasper's, Hammersley's Bistro, ou Seasons. Des nombreux restaurants spécialisés dans les **fruits de mer**, le plus célèbre et le plus fiable est

Détente à l'européenne, à la terrasse de l'un des nombreux cafés de la ville.

Legal Sea Foods, qui connaît un grand succès. Cette chaîne compte plusieurs restaurants à travers la ville.

À Boston, la cuisine ethnique est également bien représentée. Vous aurez l'embarras du choix dans Newbury Street, autour du Faneuil Hall Marketplace, et à proximité d'Harvard Square, à Cambridge.

Ce que vous avez toujours voulu savoir sur la fabrication des bonbons, à Provincetown.

Dans les divers **fast-food**, les sandwiches sont souvent des «subs» (en forme de sous-marins) ou des «roll-ups» (sortes de crêpes fourrées roulées en tube). Nombre de restaurants proposent aussi des petits pains et des pretzels. Bravez la foule du midi au Quincy Market du Faneuil Hall Marketplace: des échoppes alléchantes y proposent des plats à emporter.

Vous pourrez aussi prendre un capuccino dans l'un des **cafés** d'Hanover Street (North End) et y savourer des *gelati* ou un *tiramisu*. On a calculé que l'on mangeait plus de glaces à Boston que partout ailleurs aux États-Unis, aussi vous trouverez toujours un glacier à proximité. Vous pourrez aussi aller dans les coffee shops *al fresco* de Newbury Street, et y observer la foule.

Poissons, clams et crustacés

Boston dispose des meilleurs fruits de mer des États-Unis. Au restaurant, vous aurez le choix entre la plupart des variétés de **poissons blancs**. Les moins chers sont la morue et le haddock. Vous pourrez les faire préparer selon votre goût – grillés, frits, rôtis, au barbecue, aux épices ou dorés à la poêle. Vous préférerez peut-être le **bar à huîtres** (les restaurants ont souvent le leur), où des écaillers habiles manient des couteaux des plus impressionnants, tandis que les clients dégustent leurs huîtres assis au bar, agrémentées de citron et de tabasco.

Si vous mangez des **clams** crus, il s'agira généralement de clams à carapace dure, ou quahogs (prononcer *cohog*). Les clams à carapace dure sont en général des palourdes. Les clams à carapace molle, également appelées *steamers* (vapeurs) servent à préparer la soupe aux clams. En Nouvelle-le-Angleterre, cette soupe se compose de clams, de pommes de terre et de crème (la soupe servie ailleurs aux États-Unis, dite soupe «Manhattan», utilise également des tomates). Un seul bol de cette préparation peut tenir lieu de repas.

Vous trouverez aussi des crevettes, des coquilles Saint-Jacques et du **homard**. À Boston, ce crustacé n'est pas réservé aux grandes occasions: on vous servira un sandwich ou une pizza au homard. Certains restaurants proposent des «homards pour paresseux», tout décortiqués.

*T*otalement irrésistibles! Les fruits de mer de Boston comptent parmi les meilleurs du monde. **113**

Les boissons

On dit qu'on boit plus de bière à Boston que dans toute autre ville américaine. La préparation locale, la Samuel Adams, est une bière blonde au goût prononcé. La plupart des restaurants proposent un grand choix de vins de Californie, et dans les établissements français ou italiens, vous pourrez déguster les vins de ces pays.

Les lois du Massachusetts interdisent les «Happy Hours», périodes durant lesquelles les boissons sont proposées à prix réduit. En revanche, beaucoup de bars attirent les clients avec un buffet gratuit en début de soirée. Vous devez être âgé de plus de 21 ans pour consommer de l'alcool, et on pourra vous demander votre passeport. Voir notre sélection des bars de la ville, p.105.

L'été, dîner en plein air est l'une des occupations favorites des Bostoniens.

BERLITZ-INFO

Informations pratiques classées de A à Z

> Un équivalent en américain (au singulier) est apposé aux titres importants. Dans certains cas, les informations s'achèvent sur quelques expressions clés qui devraient vous tirer d'embarras.

A

AÉROPORTS *(airport)*

L'aéroport International Logan n'est qu'à 5km du centre-ville par la route. Ce grand aéroport national et international comprend cinq aérogares, où vous trouverez des comptoirs d'information, des bureaux de change, des boutiques hors taxes et des restaurants. Pour plus de renseignements, appelez le **561-1800**.

Des navettes d'autobus assurent régulièrement la liaison entre le métro et les différentes aérogares. Pour tous renseignements concernant les transports de et vers l'aéroport, appelez le **1-800-23-LOGAN**.

Le moyen le plus rapide et le moins cher pour venir de l'aéroport et s'y rendre est le **métro** (voir TRANSPORTS, p.137). Le trajet entre le Government Center et l'aéroport sur la ligne bleue dure environ 10min. Par la **route**, les tunnels qui passent sous le port sont parfois encombrés, notamment en semaine aux heures d'affluence – par conséquent, le trajet en **taxi** du centre-ville à l'aéroport peut durer de 10 à 45min. Des services de **mini-bus** sont régulièrement assurés depuis tous les principaux hôtels de Back Bay et du centre-ville. Un **ferry** (du lundi au vendredi, de 6h à 20h; le dimanche de midi à 20h) traverse le port depuis Rowes Wharf, au centre-ville. C'est le moyen de transport le plus fascinant pour effectuer ce trajet de 7min, qui vous relie à un bus. Ce dernier fait le tour des différentes aérogares en 10min, et il est gratuit pour les enfants de moins de 12 ans.

AMBASSADES et CONSULATS (*embassy; consulate*)

Belgique: 50, Rockefeller Plaza, New York, NY 10021; tél. (212) 586-5110.

Canada: (consulat) Suite 400, 3 Copley Place, Boston, MA 02116; tél. 262-3760.

France: (consulat) 3, Commonwealth Ave., Boston, MA 02116; tél. 266-9413.

Suisse: 665 Fifth Avenue, New York, NY 10021, 8th Floor; tél. (212) 7582560.

ARGENT (*money*)

Monnaie (*currency*). Le dollar ($) se divise en 100 cents (c).

Pièces: 1c (*penny*), 5c (*nickel*), 10c (*dime*), 25c (*quarter*). Les pièces de 50c et d'un dollar sont rares.

Billets: 1 $ (*buck*), 5 $, 10 $, 20 $, 50 $, 100 $. Tous les billets ont le même format et la même couleur, aussi veillez à ne pas les confondre.

Banques et bureaux de change (*bank; currency exchange*). Munissez-vous de chèques de voyage en dollars, de cartes de crédit et de liquide, car il est parfois difficile de changer les chèques de voyage étrangers ainsi que les devises étrangères. Vous pourrez le faire dans les agences Thomas Cook (1-800-582-4496), dans les banques Baybank et Fleetbank, ainsi qu'aux bureaux de change de l'aéroport.

Cartes de crédit (*credit cards*). Elles sont indispensables pour toutes les réservations (chambres d'hôtel et location de voiture, par exemple). C'est également le mode de paiement invariablement utilisé pour les transactions importantes. Les principales cartes de crédit sont acceptées presque partout, et vous pourrez aussi les utiliser pour retirer du liquide aux distributeurs.

Chèques de voyage (*Traveler's cheques*). Les chèques de voyage émis par les banques américaines sont les plus faciles à utiliser. Les banques les changeront contre du liquide sans prélever de commission (munissez-vous d'une pièce d'identité). La plupart des hôtels, restaurants et magasins les acceptent directement comme paiement.

Les chèques de dénominations de 20 $ sont les plus utiles pour ces transactions. N'échangez que de petites sommes à la fois et placez le reste de vos chèques de voyage dans le coffre de votre hôtel. Veillez à conserver votre reçu et les numéros de chèque à part afin de vous faire rembourser en cas de perte ou vol.

Taxes. Les prix affichés ne comprennent pas la TVA (*VAT*). Au Massachusetts, cette taxe est de 5%, applicable à tous les produits sauf les médicaments, les aliments achetés dans un magasin et les vêtements de moins de 175 $. La taxe hôtelière est de 9,7%.

POUR ÉQUILIBRER VOTRE BUDGET

Vous trouverez ci-dessous quelques exemples de prix moyens, exprimés en dollars ($). En raison de l'inflation et des différences entre les établissements, ces prix n'ont qu'une valeur indicative.

Aéroport (transfert). Vers et depuis le centre-ville: taxi, 12 à 18 $; mini-bus, 7,50 $; ferry, 8 $; métro, 85 cents.

Auberges de jeunesse. YMCA/YWCA: 44-52 $ pour une chambre double, 29-36 $ pour une chambre simple. AYH: 14-17 $.

Bed and Breakfast. 50 $ à 40 $ pour une chambre double.

Blanchisserie. Dans une laverie: 2 $ pour le lavage et environ 1,50 $ pour le séchage; forfait pour une grande quantité de linge: 10 $. Dans les hôtels: environ 2 $ pour une chemise.

Cigarettes. 2 $ à 3 $ le paquet.

Distractions. Cinéma, 7 $; théâtre, 15 $ à 60 $; concert classique, 10 $ à 50 $; spectacle comique, 5 $ à 12 $; nightclub, 6 $ à 15 $; baseball, 7 $ à 18 $; basketball ou hockey, 10 $ à 50 $.

Essence. 1,05 $ à 1,25 $ le gallon (environ 4 litres) pour l'essence ordinaire sans plomb dans une station self-service. Jusqu'à 20c de plus si un pompiste vous sert. L'essence est souvent plus chère sur les autoroutes.

Hôtels. Chambre double: hôtels économiques, moins de 100 $; moyens, de 100 $ à 200 $; chers, plus de 200 $. Les hôtels offrent souvent des tarifs inférieurs à ceux qu'ils publient; n'hésitez pas à vérifier.

Locations. *Bicyclette*, 20 $ par jour. *Patins à roulettes*, 15 $ par jour. *Voiture* (pour une petite voiture), 140 $ par semaine avec kilométrage illimité; assurance complémentaire (*Collision Damage Waiver*), 70 $ à 80 $ (voir LOCATION DE VOITURES, p.130).

Musées. 2 $-7,50 $.

Nettoyage à sec. Veste, 5 $; robe, 7,50 $.

Photographie et vidéo. Pellicule couleur standard (36 poses), environ 6,50 $; pellicule noir et blanc standard (36 poses), environ 5 $; cassette vidéo vierge, 8-10 $.

Repas et boissons. Petit déjeuner continental, 2-3 $; petit déjeuner complet, 4-10 $; déjeuner dans un café, 4-6 $; déjeuner au restaurant, 8 $ et plus; dîner, 15 $ et plus; café, 1-1,50 $; bière, 2-4 $; verre de vin, 3 $ et plus; bouteille de vin, 12 $ et plus; cocktail, 4 $ et plus.

Taxis. 1,50 $ pour les 150 premiers mètres, puis 20c pour chaque tronçon de 75m.

Transports publics. Carte métro-autobus, 9 $ pour 3 jours, 18 $ pour une semaine; jeton de métro, 85c; bus urbain, 60c.

AUBERGES DE JEUNESSE (youth hostel)

Vous trouverez l'hébergement le moins cher de la ville auprès de la Boston International AYH-Hostel, 12 Hemenway St., Boston, MA 02215; tél. 536-9455. Vous dormirez en dortoir et devrez participer aux corvées ménagères. Pour obtenir une place en été, il faut être membre de l'association (adhésion disponible sur place). Pour plus de renseignements sur les différentes auberges AYH du Massachusetts, contactez le Greater Boston Council AYH, 1020 Commonwealth Ave., Boston, MA 02215; tél. 731-5430/731-6692.

Les auberges de jeunesse YMCA et YWCA proposent des chambres individuelles et plus de confort. Pour hommes et femmes, la YMCA (316 Huntington Ave., Boston, MA 02215; tél. 536-7800) dispose d'une piscine et d'une salle de sport. Pour les femmes uniquement: résidence Berkeley/YWCA, 40 Berkeley St, Boston, MA 02116; tél. 482-8850.

CAMPING

Demandez au Massachusetts Office of Travel and Tourism (voir Offices du tourisme, p.132) un dépliant concernant le camping au Massachusetts. Les camps les plus proches de la ville se trouvent sur quatre des îles du port. Ils proposent un «camping sauvage» dans la nature – sans eau courante. Il vous faudra un permis; appelez la Metropolitan District Commission au 727-5290 pour les îles Lovells et Peddocks, et le Department of Environmental Management, au 740-1605, pour les îles Bumpkin et Grape.

CLIMAT et HABILLEMENT *(climate; clothing)*

Le climat de Boston est très variable et imprévisible. En hiver, le temps est habituellement froid et souvent neigeux, mais il peut faire doux. Le printemps est généralement très court. L'été peut être très chaud et humide, avec de temps à autre une journée fraîche et pluvieuse, mais les températures restent le plus souvent assez élevées, tempérées par une agréable brise marine. L'automne est magnifique en Nouvelle-Angleterre. Demandez un *Fall Foliage Guide* à l'Office du tourisme (voir Offices du tourisme, p.132). Voici les températures minimales et maximales moyennes à Boston:

	J	F	M	A	M	J	J	A	S	O	N	D
Max.°C	2	3	6	12	19	24	27	25	22	17	9	4
Min.°C	-7	-6	-2	3	9	14	17	17	13	8	2	-4

Habillement. Prévoyez une garde-robe adaptée à cette météo imprévisible. L'hiver, prenez un manteau épais. L'été, la tenue de rigueur pour les touristes est le short et le T-shirt, mais munissez-vous d'un imperméable et d'un ou deux chandails pour les journées plus fraîches, les soirées et les excursions en bateau. Plus important encore: prenez des chaussures confortables, car vous ferez certainement beaucoup de marche.

COMMENT Y ALLER

EN AVION (vols réguliers)

Au départ de la Belgique. Il y a, chaque semaine, cinq vols entre Bruxelles et Boston. Le voyage demande environ 8h.

Au départ du Canada. La ligne Montréal-Boston est desservie plusieurs fois par jour en 1h environ.

Au départ de la France. Paris est relié à Boston de douze à quatorze fois par semaine (selon la saison). Le voyage dure 8h à 9h.

Au départ de la Suisse. Il n'y a pas de liaison directe entre Genève et Boston. Deux vols quotidiens relient Genève à Boston *via* Zurich (en 10h) ou *via* Paris (en 11h30).

Tarifs réduits. Les tarifs promotionnels pour Boston dépendent de la durée de votre séjour (les tarifs les plus intéressants nécessitent un séjour d'au moins 7 jours à Boston), la saison de votre départ (été ou hiver), la reservation (une reservation à l'avance est souvent obligatoire) et de votre marge de liberté (possibilité de changement de votre date de retour, retour non modifiable). Renseignez-vous auprès de votre agence de voyages ou compagnie aérienne.

Forfaits. Certains voyagistes proposent des forfaits comprenant le voyage et l'hébergement en ville. Cette solution est souvent moins coûteuse que la réservation du billet d'avion et de l'hôtel séparément.

Les pass aériens. Les visiteurs étrangers qui envisagent d'effectuer des vols intérieurs aux États-Unis réaliseront une économie considérable en achetant à l'avance un «pass» aérien. Ces forfaits sont proposés par la plupart des grandes compagnies américaines.

EN AUTOCAR

La compagnie Greyhound assure des liaisons entre Boston et toutes les grandes villes d'Amérique du Nord. Des autocars partent toutes les heures pour Washington, New York et Montréal. Tél. 1-800-231-2222. Les visiteurs étrangers peuvent acheter dans leur pays un billet «Améripass» qui permet des voyages illimités durant une certaine période. Contactez le bureau Greyhound de votre pays, ou votre agence de voyage.

EN TRAIN

Boston est le terminus du Corridor Nord-Est de la compagnie Amtrak, une ligne qui dessert Washington, Philadelphie et New York, et se trouve à l'extrémité est de la ligne Lake Shore Limited qui vient de Chicago. Des forfaits comprenant l'hébergement sont disponibles. Pour tous renseignements aux États-Unis et au Canada, appelez le 1-800-USA-RAIL. Amtrak possède des bureaux dans la plupart des pays. Des forfaits permettant des voyages illimités durant une certaine période sont disponibles pour les étrangers: les «pass» Coastal et Eastern Rail incluent Boston.

CONDUIRE À BOSTON

(Voir aussi LOCATION DE VOITURES, p.130)

Il n'est pas très amusant de conduire à Boston. Si vous arrivez en voiture, laissez-la dans un parking jusqu'à la fin de votre séjour, ou réservez-la pour une excursion hors de la ville. Ne louez une voiture sur place que si vous comptez vous éloigner de Boston.

On conduit à droite et on dépasse par la gauche. Au feu rouge, vous pouvez tourner à droite sauf si un panneau particulier vous l'interdit. Les rond-points sont fréquents (cédez le passage aux véhicules qui se trouvent déjà sur le rond-point). Soyez attentif aux panneaux donnant la priorité aux piétons et ne dépassez en aucun cas les bus scolaires (de couleur jaune) dans un sens ni dans l'autre lorsqu'ils font monter ou déchargent des passagers (dans ce cas, leurs feux rouges clignotent). Ayez toujours votre permis de conduire sur vous et ne buvez pas avant de prendre le volant. Enfin, le port de la ceinture de sécurité est facultatif au Massachusetts (mais conseillé); en revanche, il est obligatoire pour les jeunes enfants.

Conditions de circulation. Le réseau routier de Boston est un labyrinthe de rues non numérotées et à sens unique, souvent encombrées. Soyez attentif à la sortie que vous devez emprunter sur l'autoroute, car elles se succèdent à un rythme alarmant. Évitez les heures d'affluence aux entrées et aux sorties de la ville. L'été, ne partez pas pour le cap Cod le vendredi soir, et n'en revenez pas le dimanche soir (le même conseil s'applique aux trajets vers North Shore).

Limitations de vitesse. La vitesse est limitée à 55m/h (90km/h) sur les autoroutes (parfois 65m/h – 105km/h – sur les turnpikes, autoroutes à péage).

Péages. Des péages sont installés en direction de Boston aux entrées des ponts et tunnels, ainsi que sur le Massachusetts Turnpike. Ayez toujours de la monnaie à portée de la main.

Stationnement. Il est parfois impossible de se garer dans les rues du centre-ville ou des quartiers résidentiels comme Beacon Hill, où la plupart des places sont réservées aux habitants. Demandez à l'avance si votre hôtel dispose d'un parking (les hôtels et les élégants restaurants ont souvent un service de voiturier). Il y a de grands parkings souterrains un peu partout dans la ville: demandez des précisions au concierge de votre hôtel.

Pannes et accidents. L'American Automobile Association (AAA) propose quelques services d'assistance et d'informations routières aux membres d'Automobile-Clubs affiliés à l'étranger. Contactez l'AAA au 1050 Bingham St, Rockland, MA 02370 (tél. 617-871-5880). En cas d'urgence sur la route, composez le 1-800-AAA-HELP.

Essence. Dans certaines stations service, on paie à l'avance, mais le plus souvent, vous paierez après vous être servi. L'essence est moins chère dans les stations self-service que dans celles où un pompiste vous sert.

Signalisation. Voici la signification de certains panneaux:

Detour	Déviation
Divided Highway	Route à quatre voies séparées
No passing	Dépassement interdit
Yield	Cédez le passage
Railroad crossing	Passage à niveau
Rotary	Rond-point
Traffic circle	Sens giratoire
Pay toll	Péage
Men working	Travaux

Distances

Capacité

COURANT ÉLECTRIQUE (*electric current*)

Aux États-Unis, le courant est du 110 volts, 60 Hz alternatif. Les fiches et les prises électriques sont d'un modèle différent de celles utilisées en Europe (tiges plates à deux et trois fiches). Munissez-vous d'un adaptateur.

DÉCALAGE HORAIRE (*time difference*)

Il existe quatre fuseaux horaires sur le continent américain. Boston est à l'Eastern Standard Time. L'heure d'été est utilisée d'avril à octobre (on avance les horloges d'une heure). L'hiver, lorsqu'il est midi à Boston, il est 18h à Paris, Bruxelles et Genève.

DOUANE (*custom*) et FORMALITÉS D'ENTRÉE

Passeport, visa. Les Canadiens doivent simplement fournir une preuve de leur nationalité. Les ressortissants de l'Union européenne n'ont plus besoin de visa pour les séjours de moins de 90 jours aux États-Unis: un passeport en cours de validité et un billet d'avion pour le retour suffisent. La compagnie aérienne vous fournira un formulaire remplaçant le visa.

Moyens de paiement. À l'arrivée comme au départ, vous devrez déclarer les sommes en liquide et en chèque dépassant 10 000 $.

Achats hors taxe. Les restrictions suivantes s'appliquent à l'entrée aux États-Unis (personne âgée de 21 ans et plus): 200 cigarettes *ou* 50 cigares *ou* 2kg de tabac; 1l d'alcool *ou* de vin.

Au retour dans votre pays, les restrictions sont les suivantes: *Canada*: 200 cigarettes *et* 50 cigares *et* 400g de tabac; 1,1l d'alcool *ou* de vin *ou* 8,5l de bière. *Suisse*: 200 cigarettes *ou* 50 cigares *ou* 250g de tabac; 1l d'alcool (de 15° ou plus) *et* 2l de vin (de 15° ou moins). *France, Belgique, Luxembourg*: 200 cigarettes *ou* 50 cigares *ou* 250g de tabac; 1l d'alcool (de 22° ou plus) *ou* 2l d'alcool (de 22° ou moins) *et* 2l de vin.

Cadeaux. Les non résidents aux États-Unis bénéficient d'une franchise de taxes d'une valeur de 100 $ pour les cadeaux, y compris 100 cigares supplémentaires.

G

GUIDES et VISITES ORGANISÉES *(guide; tour)*

Promenades en trolley. Après avoir suivi à pied la ligne rouge de la Freedom Trail (voir p.23), la visite la plus appréciée à Boston se fait en trolley. Les compagnies Old Town Trolley Tours (orange et verte), Beantown Trolleys (rouge) et Boston Trolley Tours (bleue) offrent des visites pratiquement identiques de 90min dans le centre de Boston et ses environs. Vous pouvez descendre du trolley et y remonter autant de fois que vous le souhaitez. On trouve un peu partout dans la ville des guérites vendant des billets. Old Town Trolley Tours organise également des visites de Cambridge.

Visites à pied. Les rangers du Boston National Historic Park (qui est responsable de tous les monuments de la ville) proposent des visites guidées à partir du Visitors Center (voir OFFICES DU TOURISME, p.132). Pour suivre la Black Heritage Trail avec un guide ranger, voir p.25. Les compagnies Historic Neighborhoods (tél. 426-1885) et Boston by Foot (tél. 367-2345) proposent des programmes complets de découverte de certains quartiers. À Cambridge, des étudiants de Harvard proposent des visites guidées de l'université à partir du Centre **125**

d'information d'Harvard, Holyoke Center, Massachusetts Ave. (tél. 495-1551). Le MIT (77 Massachusetts Ave.) offre un service similaire.

Excursions. Outre les longues promenades à Boston, Brush Hill Tours (tél. 236-2148) et Gray Line (tél. 426-8805) offrent des excursions en autocar vers Lexington et Concord, Plymouth, le cap Cod, Salem et la North Shore.

Croisières. Les compagnies Boston Harbor Cruises (Long Wharf; tél. 227-4321), Bay State Cruise Co. (Long Wharf; tél. 723-7800), AC Cruise Line (28 Northern Ave.; tél. 426-8419) proposent diverses promenades: visite du port, croisières au soleil couchant, excursions d'observation des baleines.

Les compagnies Spirit of Boston Cruises (Rowes Wharf; tél. 569-4449) et Odissey Cruises (Rowes Wharf; tél. 674-9700) proposent des déjeuners et des dîners gastronomiques à bord de yachts de luxe. L'observation des baleines est également possible avec Boston Harbor Whale Watch (Rowes Wharf; tél. 345-9866) et la New England Aquarium Whale Watch (Central Wharf; tél. 973-5281). Vous pourrez faire une croisière de 50 minutes sur la rivière Charles grâce à Charles River Boat Co. (tél. 621-3001), depuis la CambridgeSide Galleria et le musée de la Science.

H

HEURES D'OUVERTURE (opening hours)

Banques. De 9h-15/16h (lundi-vendredi), parfois plus tard; de 9h-12h/14h (samedi).

Bureaux de poste. De 8h-17h (lundi- vendredi), 9h-13h (samedi).

Musées, galeries et sites touristiques.

Boston Tea Party Ship and Museum. Congress Street Bridge; tél. 338-1773; métro: South Station. De 9h-17h (9h-18h l'été); fermé du 1er déc/1er mars. Adultes, 6 $; enfants (5-14 ans), 3 $; étud., 4,80 $.

Bull and Finch Pub (également appelé *Cheers*), 84 Beacon St.; tél. 227-9605; métro: Arlington. De 11h-1h. Gratuit.

Bunker Hill Monument, Charlestown; tél. 242-5644; bus n°s 92 et 93 depuis Haymarket; métro: North Station. De 9h-17h. Gratuit.

USS Constitution, Chantier naval de Charlestown; tél. 242-5601; métro: North Station/ferry depuis Long Wharf. De 9h-15h50. Gratuit.

Constitution Museum, Chantier naval de Charlestown; tél. 426-1812; ferry depuis Long Wharf. De 10h-16h (sem.), 10h-17h (week-end). Adultes, 3 $; enfants (moins de 16 ans), 1,50 $.

Faneuil Hall Marketplace, Faneuil Hall Square; métro: State/Park. Boutiques: de 10h-21h (lundi-samedi), 12h-18h (dimanche); les restaurants et bars restent ouverts plus tard.

Faneuil Hall, Faneuil Hall Marketplace; tél. 635-3105. De 9h-17h. Gratuit.

John Hancock Observatory (observatoire), Copley Square; tél. 572-6429; métro: Copley. De 9h-23h (lundi-samedi); dimanche: 10h-23h (mai-oct.), 12-23h (nov.-avril). Adultes 3 $; enfants (5-17 ans) 2,25 $.

Longfellow National Historic Site, 105 Brattle St, Cambridge; tél. 876-4491; métro: Harvard Square. De 10h45-16h. 18-60 ans, 2 $; autres, gratuit.

Massachusetts State House, Beacon St.; tél. 727-3676; métro: Park Street. De 7h-17h (sem.); visites: 10h-16h. Gratuit.

Old North Church, 193 Salem Street; tél. 523-6676; métro: Haymarket. De 9h-17h. Gratuit.

Old South Meeting House, Washington et Milk Streets; tél. 482-6439; métro: State. De 10h-16h (sem.); 9h30-17h (l'été), 10h-17h (week-end); Adultes, 2,50 $; étud. et pers. âgées, 2 $; enfants (6-18 ans), 1 $; enfants (moins de 6 ans), gratuit.

Old State House, State et Washington Streets; tél. 720-3290; métro: State. De 10h-16h (sem.), 9h30-17h (l'été), de 9h30-17h (samedi), 11h-17h (dimanche). Adultes, 2 $; étud. et pers. âgées, 1,50 $; enfants, 75c.

Paul Revere House, 19 north Square; tél. 523-2338; métro: Haymarket. Mi-avril/nov.: 9h30-17h15; déc./mi-avril: 9h30-16h15; fermé le lundi de janv. à mars. Adultes: 2,50 $; enfants (5-17 ans), 1 $.

Sports Museum of New England, CambridgeSide Galleria; tél. 57-SPORT; métro: Science Park/Lechmere. De 10h-21h30 (lundi-samedi), 12h-18h (dimanche). Adultes et enfants (8 ans et plus), 6 $; enfants (4-7 ans) et pers. âgées, 4,50 $.

Restaurants. Nombre d'entre eux ne servent plus après 22h.

Magasins. De 9-10h à 17h 30-19h. Certains ouvrent de midi à 17-18h le dimanche. Les centres commerciaux restent parfois ouverts jusqu'à 21h-21h 30 en semaine, et ouvrent le dimanche après-midi.

HÔTELS et LOGEMENT (Voir aussi CAMPING p.120, AUBERGES DE JEUNESSE p.119, et HÔTELS RECOMMANDÉS, p.66)

Le Greater Boston Convention and Visitors Bureau (voir OFFICES DU TOURISME, p.132) vous fournira une liste à jour des hébergements disponibles en ville (n'oubliez pas d'ajouter aux tarifs une taxe de séjour de 9,7%). Réservez, notamment en juillet et août, ainsi qu'au printemps et à l'automne, saisons traditionnelles des séminaires.

Hôtels. Les hôtels sont relativement chers à Boston, mais de très haute qualité. Les hôtels et motels disposent généralement d'un parking payant, qui risque de rehausser le prix de votre séjour.

Bed and Breakfast (B&B). Ces établissements fournissant le «lit et le petit-déjeuner» constituent une bonne solution à Boston. Rares sont les «B&B» de la ville qui enregistrent directement vos réservations. La plupart passent par une agence (les agences contrôlent régulièrement les B&B qui figurent sur leurs listes), et acceptent les réservations pour un minimum de deux nuits. Les hôtes sont généralement très accueillants, et certains B&B se trouvent dans des maisons d'époque. La plupart d'entre eux se trouvent dans des banlieues comme Brookline. Les prix sont très variables, ainsi que le niveau de confort, d'intimité et d'indépendance. Sachez aussi qu'il est interdit de fumer dans la plupart des B&B.

A & B Agency of Boston, 47, Commercial Wharf, Boston, MA 02110; tél. 720-3540/1-800-CITY-BNB; fax 523-5761.

Bed & Breakfast Cambridge & Greater Boston, PO Box 665, Cambridge, MA 02140; tél. 576-1492/1-800-888-0178; fax 576-1430.

Host Homes of Boston, PO Box 117, Waban Branch, Boston, MA 02168; tél. 244-1308; fax 244-5156 (publie une liste de B&B).

Allez passer une nuit dans l'une des magnifiques auberges B&B du Cap Cod et de North Shore. Pour plus de renseignements, procurez-vous le *Guide des Bed & Breakfasts du Massachusetts* auprès du Massachusetts Office of Travel and Tourism (voir OFFICES DE TOURISME, p.132). Pour les B&B de luxe sur le Cap Cod, contactez:

DestiNNations, PO Box 1173, Osterville, MA 02655; tél. (508) 428-5600/1-800-333-INNS; fax (508) 420-0565.

JOURS FÉRIÉS *(public holiday)*

1er janvier	*New Years's Day*	Jour de l'an
3e lundi de janv.*	*Martin Luther King's Day*	Hommage à Martin Luther King
3e lundi de fév.*	*President's Day*	Journée du président
3e lundi d'avril**	*Patriots' Day*	
Dernier lundi de mai	*Memorial Day*	En souvenir des soldats disparus
4 juillet	*Independence Day*	Fête de l'indépendance
1er lundi de sept.	*Labor Day*	Fête du travail
2e lundi d'oct.*	*Columbus Day*	Hommage à Christophe Colomb
11 nov.*	*Veterans' Day*	Jour des Anciens Combattants
4e jeudi de nov.	*Thanksgiving*	Jour d'action de grâces
25 déc.*	*Christmas*	Noël

Les magasins sont ouverts;
**Certains magasins sont ouverts; les banques ouvrent le matin.*

LANGUE (*language*)

À Boston, on rencontre de nombreux accents, depuis le parler lisse et traînant des classes supérieures jusqu'aux riches sonorités des Irlandais. Vous aurez parfois du mal à vous faire comprendre autrement qu'en anglais. Le *Guide de Conversation Berlitz Français/Anglais, Anglais/Francais* (édition nord-américaine) vous tirera d'embarras en bien des circonstances.

Bonjour (matin)	**Good morning**
Bonjour (après-midi)	**Good afternoon**
Bonsoir/Bonne nuit	**Good evening/Good night**
Au revoir/À bientôt	**Good bye/See you later**
Excusez-moi	**Excuse me**
S'il vous plaît/Merci	**Please/Thank you**
Parlez-vous français?	**Do you speak French?**

LOCATION DE VOITURES (Voir aussi ARGENT, p.117)

Ne louez pas de voiture sauf si vous envisagez des excursions à l'extérieur de la ville. La circulation et le stationnement à Boston vous poseraient des problèmes inutiles.

Pour louer une voiture, il faut avoir plus de 21 ans (une surcharge est parfois demandée aux conducteurs de moins de 25 ans), et être titulaire d'un permis de conduire européen ou international. Les règlements se font de préférence par carte de crédit (pour tout autre mode de paiement, une importante caution en liquide vous sera demandée).

On peut louer une voiture à Boston, Cambridge et à l'aéroport Logan, et vous trouverez les différentes agences de location de voitures sous la rubrique «Automobile Renting and Leasing» dans les Pages Jaunes (*Yellow Pages*) de l'annuaire. Les tarifs de location à l'aéroport sont souvent avantageux. Il vous faudra souscrire une assurance complémentaire couvrant les risques de collision et d'accidents (*Collision Damage Waiver*), depuis votre pays ou sur place.

MÉDIAS

Radio et télévision. Les bandes radio AM et FM offrent un nombre étonnant de stations proposant de la musique classique. Chaque chambre d'hôtel est équipée de la télévision (c'est en revanche assez rare dans les Bed and Breakfast), avec un choix varié de grandes chaînes commerciales et par cable. Les principales chaînes sont: NBC (canal 4); ABC (canal 5); CBS (canal 7); PBS (canaux 2 et 44): chaîne nationale sans publicité. Principales chaînes par cable: CNN (information continue), Weather Channel (prévisions météo locales et nationales), MTV (chaîne musicale) et ESPN (chaîne sportive).

Journaux et magazines. Il existe deux journaux principaux à Boston, le *Boston Herald*, journal populaire fourni, et le *Boston Globe*, plus sérieux et plus large. L'édition du jeudi du *Globe* comprend «The Calendar», guide complet et détachable des différentes attractions, tandis que la section «Night & Day» de l'édition du dimanche offre un choix de distractions plus sélectif. L'Herald propose ces mêmes listes dans son édition du vendredi.

Il existe un certain nombre de publications hebdomadaires et bimensuelles. La plus complète, qui contient des critiques de spectacles et des informations concernant les musées, est l'hebdomadaire *Boston Phoenix* (publié le vendredi). L'*Improper Bostonian* et le *Boston Tab* sont des lectures intéressantes, et donnent la liste des attractions locales. Le magazine mensuel gratuit *Where Boston/Cambridge*, destiné aux touristes et très pratique, cite les magasins, restaurants, musées et spectacles. Le mensuel *Boston Magazine* fournit également ces renseignements, mais jette un regard plus critique sur la ville, notamment dans ses célèbres listes annuelles *Best* et *Worst* (le meilleur et le pire), très amusantes et très influentes, qui concernent tout ce que la ville peut offrir.

Le kiosque **Out of Town News**, au centre d'Harvard Square, à Cambridge, possède un choix impressionnant de journaux et de magazines de tous les États-Unis et du monde entier.

OBJETS TROUVÉS (*lost property*)

Si vous avez perdu quelque chose dans le métro ou un autobus, appelez le **722-3200**. Si vous perdez quelque chose dans un taxi, composez le **536-8294** et vous obtiendrez un service spécialisé de la police.

OFFICES DU TOURISME (*tourist information office*)

Belgique: U.S.A. Center, 350 avenue Louise, 1050 Bruxelles; tél. (2) 648-4356; fax 648-4022.

Canada: U.S.A. City A, 480 University Avenue, Suite 602, Toronto, Ontario, M5G 1V2; tél. (416) 595 50 82; fax (416) 595 52 11.

France et Suisse: B.P.1, 91 167 Longjumeau Cedex 9; tél. (1) 42 60 57 15. (*Renseignements par courrier et par téléphone seulement; Minitel 3615 code USA.*)

Sur place, vous pourrez obtenir des informations touristiques auprès des organismes suivants:

Greater Boston Convention and Visitors Bureau (office du tourisme), Prudential Tower, PO Box 490, Boston, MA 02199; tél. 536-4100/1-800-888-5515: publie guides, brochures et dépliants concernant les hôtels et les tarifs spéciaux. *Boston by Phone*, permet d'obtenir 24h sur 24, depuis les États-Unis, des informations touristiques; tél. **1-800-374-7400**.

Massachusetts Office of Travel and Tourism, 100 Cambridge St., 13th Floor, Boston, MA 02202; tél. 727-6565: distribue des guides concernant les hôtels, les bed & breakfast et diverses attractions.

Visitor Information Center, dans le Boston Common vers Tremont Street: 8h30-17h (lundi-vendredi), 9h-17h (samedi et dimanche).

National Park Service Visitor Center, 15 State St.; tél. 242-5642: 8h-17h (lundi-vendredi), 9h-17h (samedi), 9h-18h (dimanche, l'été): renseignements sur les sites historiques; un bureau se trouve aussi au chantier naval de Charlestown; tél. 242-5601: 9h-17h (9h-18h l'été).

Cambridge Discovery, Inc., au centre d'Harvard Square: 9h-18h (lundi-samedi), 13h-17h (dimanche).

PHOTOGRAPHIE et VIDÉO

Les pharmacies et les supermarchés vendent les pellicules moins chères que les magasins de photo. Les machines à rayons X des aéroports n'endommagent généralement pas les films; demandez une inspection manuelle pour les films à vitesse rapide.

Vous trouverez des cassettes vidéo pour tous les types de caméras. En revanche, les cassettes enregistrées achetées aux États-Unis ne sont pas compatibles avec les systèmes vidéo européens (et vice-versa).

POIDS et MESURES

Température

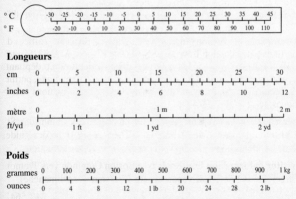

Longueurs

Poids

POLICE

En cas d'urgence, composez le **911**. Les policiers, vêtus de bleu foncé, se déplacent à pied, à cheval, en bicyclette, en moto ou en voiture. Ils font des patrouilles régulières dans le métro.

POSTES et TÉLÉCOMMUNICATIONS

(Voir aussi DÉCALAGE HORAIRE, p.124)

Bureaux de poste. Le service postal américain ne traite que le courrier. Les hôtels et les boutiques vendent également des timbres, mais à un prix plus élevé. Les heures des levées sont indiquées sur les grandes boites à lettre (bleues, ornées d'un logo rouge et blanc).

Si vous ne connaissez pas à l'avance votre adresse à Boston, vous pouvez vous faire envoyer votre courrier à la poste restante (c/o General Mail Facility) à la Poste principale (General Post Office, 25 Dorchester Ave., Boston, MA 02205; tél. (617) 654-5225). Elle se trouve derrière la gare de South Station.

Téléphone. Vous trouverez les tarifs, les renseignements sur les appels avec préavis (*person-to-person*) et en PCV (*collect call*) ou réglés par carte de crédit dans l'annuaire.

Les appels sont généralement moins chers aux heures creuses (voir HEURES D'OUVERTURE, p.126). Ils sont également meilleur marché depuis un appareil privé que d'un téléphone public, mais ces derniers sont eux-mêmes moins coûteux que les appels passés depuis une chambre d'hôtel. Si vous appelez de votre chambre, vérifiez d'abord les tarifs. Les numéros dont le préfixe est 800 (précédé du 1) sont des numéros verts (gratuits), mais ils ne sont accessibles que depuis les États-Unis.

Les téléphones publics acceptent les pièces de 5, 10 et 25 cents. Pour les appels locaux, déposez d'abord 10 cents, puis attendez la tonalité, et composez le numéro de votre correspondant. Vous devrez peut-être ajouter des pièces, selon la durée de votre conversation. Pour les appels longue distance, faites le *1 + indicatif régional* (à trois chiffres) + *numéro de votre correspondant*, et écoutez la voix automatique qui vous donnera le montant à déposer. Pour les appels internationaux, composez le *011 + indicatif du pays* (France: 33, Belgique: 32; Luxembourg: 352; Suisse: 41) + *indicatif régional* (sans le 0 s'il y en a un) + *numéro de votre correspondant*. Le code téléphonique de la région de Boston est le **617**. Pour tout renseignement concernant les tarifs et le paiement de votre communication, composez le **0** et une opératrice vous renseignera.

POURBOIRES (*tipping*)

La plus grande partie des revenus des serveurs vient des pourboires – leur salaire fixe est souvent très bas – et dans les restaurants, le service est rarement compris. Dans les cafés où l'on paie à la caisse en sortant, vous laisserez le pourboire sur la table. Dans un bar, on s'attend à ce que vous laissiez la monnaie si vous consommez au bar, et un pourboire semblable à celui du restaurant si vous êtes servi à table. À titre indicatif, voici quelques pourboires «moyens»:

Chauffeur de taxi	15-20%
Coiffeur	15%
Femme de chambre	1 $ par jour
Guide touristique	10-15%
Porteur à l'hôtel (par bagage)	50c-1 $
Serveur	15-20%

RÉCLAMATIONS (*complaint*)

Si vous avez à vous plaindre d'un magasin, et si le directeur de l'établissement n'a pas résolu le problème à votre convenance, contactez le Bureau de la consommation: Executive Office of Consumer Affairs and Business Regulation, 1 Ashburton Place, Room 1411, Boston, MA 02108; tél. 727-7780.

RELIGION

De nombreuses religions sont représentées à Boston, et la ville est également le siège mondial du mouvement de la Science chrétienne (voir p.49). Votre hôtel vous fournira tous les renseignements concernant les services dans les églises et les synagogues. On trouve dans les Pages Jaunes de l'annuaire la liste des lieux du culte sous la rubrique «*churches*». Vous trouverez aussi dans les journaux du samedi la liste des services religieux du dimanche (voir p.131).

SANTÉ et SOINS MÉDICAUX (*medical care*)

Aucun vaccin n'est exigé par les autorités américaines, sauf bien sûr si vous venez d'une région où sévit la fièvre jaune ou le choléra.

Les soins médicaux sont payants, et chers. Vous devriez par conséquent souscrire avant votre départ une assurance temporaire vous offrant une bonne couverture (auprès de votre agence de voyage ou d'une compagnie d'assurance). Dans les hôpitaux, les urgences accueillent toutes les personnes qui ont besoin de soins rapides.

Hôpital Beth Israel: 330 Brookline Ave; tél. 735-2000 (735-3337 pour les urgences).

Cambridge City Hospital: 1493 Cambridge St; tél. 498-1000.

Massachusetts General Hospital: 55 Fruit St; tél. 726-2000.

Certains médicaments en vente libre dans d'autres pays ne sont disponibles que sur ordonnance aux États-Unis – vérifiez avec votre médecin. La pharmacie **Phillips Drugstore**, 155 Charles St. (tél. 523-4372/523-1028) est ouverte de 8h à minuit, sept jours sur sept.

SPECTACLES

Le Greater Boston Convention and Visitors Bureau (Office de tourisme) publie chaque année un calendrier des principaux spectacles comportant le numéro de téléphone des salles de concert, de danse, de théâtre, et des différents stades. Renseignez-vous auprès de la réception de votre hôtel.

Bostix Booth (du mardi au samedi, de 11h à 18h, le dimanche de 11h à 16h; tél. 723-5181), à Faneuil Hall, offre parfois des billets à moitié prix pour les spectacles du jour même; l'agence prélève une petite commission, et n'accepte que les paiements en liquide. Vous pouvez aussi y réserver vos billets à l'avance.

À Cambridge, rendez-vous chez **Out of Town Tickets** (du lundi au vendredi de 9h à 19h; le samedi de 9h à 18h; tél. 492-1900), en sous-sol sous Harvard Square. Paiement en liquide uniquement sur place; réservation avec carte de crédit par téléphone.

Pour toute réservation par carte de crédit, contactez Concertcharge, tél. 497-1118; et Ticketmaster, tél. 931-2000.

Si vous souhaitez assister à des rencontres de baseball, de basket-ball ou de hockey, essayez d'acheter vos billets le plus longtemps possible à l'avance. Quelques places debout restent disponibles pour tous les matchs du jour.

Baseball: Boston Red Sox, Fenway Park, Yawkey Way; tél. 267-1700. D'avril à oct.

Basketball: Boston Celtics, Boston Garden, 150 Causeway St; tél. 523-3030. De nov. à avril.

Football américain: New England Patriots, Sullivan Stadium, Foxboro; tél. 1-800-543-1776. Le stade est à 40km au sud de Boston. Des trains spéciaux partent des gares de South Station et de Back Bay. Les billets sont en général faciles à obtenir. De sept. à déc.

Hockey: Boston Bruins, Boston Garden, 150 Causeway St; tél. 227-3200. D'oct. à avril.

TOILETTES

Les toilettes publiques étant rares à Boston, arrêtez-vous dans une station-service (demandez la clé), un bar, un restaurant, un musée. Les Américains utilisent plusieurs termes pour les désigner: *restroom*, *bathroom*, et *ladies* («dames») ou *men's room* («messieurs»).

TRANSPORTS (Voir aussi LOCATION DE VOITURES, p.130, COMMENT Y ALLER, p.121, CONDUIRE À BOSTON, p.122).

La Massachusetts Bay Transit Authority (MBTA), ou «T» (en abrégé), gère les métros, les trolleys, les bus et les trains de banlieue dans toute la ville et ses environs. Pour tout renseignement, appelez le 722-3200/1-800-392-6100. Des forfaits pour trois et sept jours donnent un accès illimité aux différents transports dans la ville. Vous pourrez les obtenir à différentes stations, notamment à Airport, Aquarium et Park Street, et auprès du Visitor Information Center (voir OFFICES DU TOURISME, p.132); un plan gratuit de la ville sera joint au forfait. Les plans et informations sont disponibles à la station Park Street. Les enfants de cinq à onze ans voyagent à moitié prix, les enfants de moins de cinq ans sont admis gratuitement.

Métro. La MBTA (Massachusetts Bay Transit Authority) gère le plus vieux réseau de métro des États-Unis – il date des années 1890. C'est un système simple, sûr et assez fiable qui comporte des trains souterrains et des trolleys. Il n'y a que quatre lignes, portant des couleurs: rouge, verte, bleue et orange. La couleur des trains correspond aux lignes sur lesquelles ils circulent. Les stations sont indiquées au niveau de la rue par la lettre T dans un cercle. Si vous avez un forfait, on vous fera signe de passer; dans le cas contraire, vous achèterez un jeton à la caisse et vous le déposerez, ou l'équivalent exact en monnaie, dans le petit portillon qui vous donnera accès au quai. Ces derniers portent les mentions «Inbound» ou «Outbound». Les trains «Inbound» vont en direction de Park Street ou de Downtown Crossing, les autres dans le sens opposé. Attention: les lignes verte et rouge se divisent en plusieurs branches; les lettres à l'avant du train correspondent à sa destination dans les différentes branches. Les premières rames démarrent vers 5h (un peu plus tard le dimanche), et les derniers trains quittent le centre-ville vers 0h45.

Autobus. Les autobus circulent à travers la ville et desservent les banlieues – le plan du Metro Boston Transit donne le détail des itinéraires des différents autobus. Prévoyez de la monnaie car il faut toujours faire l'appoint dans les bus.

Trains. La Commuter Rail (trains de banlieue), parfois appelée la Purple Line (ligne violette), est utile pour les visiteurs qui souhaitent se rendre sur la North Shore dans ce que l'on appelle les «Beach Trains» (trains des plages) et vers d'autres sites comme Concord. Il existe trois gares au centre-ville: North Station (pour les trains vers Concord et la North Shore), South Station et Back Bay. À ces trois endroits, vous trouverez des plans détaillant l'ensemble du réseau et les horaires de chaque ligne.

Taxi. Les trajets en taxi sont coûteux, et en raison des fréquents embouteillages à Boston, pas forcément rapides. Voici les coordonnées de quelques compagnies de taxis. **Checker**: 536-7000 (Boston)/497-1500 (Cambridge); **Independent Taxi Operators Association**: 426-8700; **Town Taxi**: 536-5000.

U

URGENCES (*emergency*)

(Voir aussi SANTÉ ET SOINS MÉDICAUX p.136 et POLICE p.133).

En cas d'urgence, composez le **911**. Pour demander un médecin, appelez le **893-4610**. Pour un dentiste, composez le **508-651-7511**.

V

VISITEURS HANDICAPÉS (*disabled visitor*)

L'Information Center for Individuals with Disabilities (Fort Point Place, First Floor, 27-43 Wormwood Place, Boston, MA 02210-1606; tél. 727-5540/1-800-462-5015; appareil pour les sourds 345-9743) vous fournira des brochures concernant les moyens d'accès aux hôtels, restaurants, sites touristiques et les moyens de transport. Le Centre de commerce chinois (2 Boylston St, 2nd Floor, Boston MA 02116, tél. 350-7713) publie une brochure mentionnant les accès aux sites culturels. *The Complete Guide to Boston's Freedom Trail* indique les moyens d'accès pour chaque site.

VOLS et DÉLITS (Voir aussi URGENCES p.139 et POLICE p.133).

Boston est relativement sûre par rapport à certaines autres grandes villes américaines mais évitez la nuit la zone de Combat, les alentours de Chinatown et les parcs, et surtout, la pointe sud du South End, Roxbury et Jamaica Plain (banlieues du sud). Verrouillez votre voiture (le nombre de vols de voitures est très élevé dans l'État), ne portez pas de bijoux trop voyants et ne laissez jamais vos sacs ou objets de valeur sans surveillance.

Index

Lorsqu'un mot ou un nom est cité à plusieurs reprises, la référence principale est indiquée en caractères **gras**. Les références en *italique* renvoient à une illustration.

achats **98-101**, 128
Adams, Samuel 11, 12, 13, 27, 30, 32, 84
aéroports 6, 116
African Meeting House 24, 25
ambassades et consulats 117
Andros, sir Edmund 9
Aquarium de Nouvelle-Angleterre 41, *41*
argent 117-8
Arnold Arboretum 57
auberges de jeunesse 119

Back Bay 15, 17, 18, 20, **46-51**, 54, 98
baleines (observation des) 21, **44-45**, *45*
Bay Village 15, **54**
Beacon Hill 18, 20, **22-5**, *22*, *24*, 46, 54, *100*
Beauport 97
Bed and Breakfast 128-9
Bell, Alexander 10, 34
Black Heritage Trail 25
Blackstone Block 33-4
Blackstone, William 9
Boston Common 9, *18*, **19**, *22*, 27, 46
Boston Garden (jardin) 38, 106
Boston Pops 21, 26, **102**, 104, 105
Boston Public Library 48
Boston Symphony Orchestra 21, **102**

Boston Tea Party 5, 10, **12**, 30; (reconstitution) 104
«brahmanes», Les 15
Brattle Street 63-4
Brewster 91
Bruins (hockey sur glace) 38, **106**, 137
Buckman Tavern 84, *84*
budget 118-9
Bulfinch, Charles **15**, 22, 24, 31
Bunker Hill (bataille de) 10, **14**, 38, 39
Bunker Hill (monument) 39, 127

Cambridge 7, 20, *58*, **59-82**, *62*
CambridgeSide Galleria 81, **98**
camping 120
Cap Ann 93, **96-7**
Cap Cod **89-93**, 94
Celtics (basketball) 38, 106, 137
Charles II 9
Charles River 26, 81
Charlestown 9, 14, **39-43**
Chatham 91
Cheers 10, **26**, *26*, 131
Chinatown 27, 35
climat 120
Columbus Day 104
Combat Zone 35
concerts 102-103, 136-7
Concord 10, 13, *14*, 83, **84-7**
conduire 122-4
Copley Place 48, 98
Copley Square 47, *108*

Copley, John Singleton 51
Copp's Hill, cimetière de 38
Curley, James Michael 17
Custom House Tower 34

danse 103
Dawes, William 13, 28
Dickens, Charles 29
distractions 102-5,
Dorchester Heights 14, 56
douanes et formalités 124-5
Downtown (centre-ville) 10, 18,
    27-35, 42
Downtown Crossing 35, 98

Eddy, Mary Baker 10, **49**, 64
Emerson House 85
Emerson, Ralph Waldo 29, 85, 87
enfants 108-9
Esplanade **25-6**, 108
Évacuation (jour de l') 10, 14

Faneuil Hall Marketplace 15, 21,
    27, **31-3**, *31*, *32*, 40, 98, *99*,
    112, 127
Faneuil, Pierre 31
Fenway 51-3
festivals 37, **104**
Fils de la liberté 11, 12, 13
Fitzgerald, John F. 17
Fort Point Channel 42
Franklin Park 57
Franklin, Benjamin 29
Freedom Trail 18, 20, **23**, 27, 30,
    36, 38, 40, 83
fruits de mer 21, 100, 111,
    113, *113*

Gage, général 13, 14
Gardner, Isabella Stewart **53**, 64

George III 11
George's Island 44
Gloucester 44, 94, **97**
Government Center 17, 27, 29,
    33, 81
Granary, cimetière de 27
Griffin's Wharf 12
Guerre de Sept Ans 11

Hancock, John 11, 13,
    27, 84
Hancock-Clark House 84
handicapés 139
Harvard Square **59**, 98
Harvard University Museums of
    Natural History 52, **62**
Harvard Yard 7, 60, *61*
Harvard, John 60
Harvard, université de 6, 7, 10,
    53, **59-62**
Hatch Memorial Shell 26,
    102, 105
Hawthorne, Nathaniel 86, 96, **97**
heures d'ouverture 52, 98, **126**
Hichborn, Nathaniel 37
Hô Chi Minh 29
Holmes, Oliver Wendell 6
hôpitals 136
hôtels et logement **66-73**,
    118, **128**
House of the Seven Gables 96

Indépendance
    (Déclaration d') 10, 30
Indépendance (guerre d') 5, 10,
    13-5, 83

Jacques Ier 89
Jacques II 9, 10
jazz 104, 105

John F Kennedy Library and
  Museum 56
John F Kennedy National Historic
  Site 57
John Hancock Tower 18, 20, **47**,
  48, 49, 127
journaux 131
jours fériés 129

Kennedy, John Fitzgerald
  (JFK) 10, 17, 22
Kennedy, Rose 57
King's Chapel 28

Lexington 10, *12*, 13, 29, **83-4**
librairies 29, **101**
locations de voiture 130
Longfellow House 63, *63*
Longfellow National Historic
  Site 127
Longfellow, Henry
  Wadsworth 13, 15, 29, 64

magazines 131
Malcolm X 29
Marblehead 93, **94**
Massachusetts Institute of
  Technology (MIT) 7, **81**
Massachusetts State House 6, **19**,
  22, 127
«Massacre de Boston» 5, 10, *12*,
  27, 31
Mayflower 87
Mayflower II **88**, *88*, 89
McCloskey, Robert 47
Memorial Hall 62
Minutemen National Historic
  Park 84-5
Mount Auburn, cimetière de 64
Munroe Tavern 84

musées 126-8
  Afro-American History 25
  Arthur M. Sackler 52, **61-2**
  Boston Tea Party Ship and
    Museum **42**, *42*, 126
  Busch-Reisinger 52, **61**
  Children's **42**, 52, 108
  Computer **43**, 52, 108
  Constitution **40**, 127
  Essex 96
  Fine Arts (Beaux-Arts) **51**,
    52, 103
  Fogg Art 52, **60-1**
  Hammond Castle 97
  Isabella Stewart Gardner 52,
    53, 103
  John F. Kennedy Library and
    Museum 56
  Natural History 17
  New England Sports **81**, 132
  Our National Heritage 83
  Peabody 96
  Pilgrim Hall 89
  Salem Witch 96
  Science 52, **81**, 82, 108, *109*
  Witch Dungeon 96
  Zoology 108

New England Telephone
  Building 34
Newbury Street 21, **49-50**, *50*, 98
Newman, Robert 38
Nichols House 24
North Bridge 14, **85**
North End 5, 10, 20, 21, **36-8**
nourriture **110-14**, 119

offices de tourisme 132
Old Manse 85
Old North Church **38**, 127

142 Munroe Tavern 84

Old South Meeting House 12, **30**, *30*, 127
Old State House **30**, 127
Olmsted, Frederick Law 57
opéra 103
Orchard House 86

Park Street Church 27
Park Street Station 19
Patriot's Day 38, 83, **104**
Patriots (football américain) 106, 137
Paul Revere House **36**, 128
Paul Revere, chevauchée de 5, **13**
Pei, I.M. 48, 81
Pierce-Hichborn House 37
Plymouth 9, **87-9**, 93
Plymouth Plantation 88, *89*
port de Boston 20, 40, **43-4**
postes 134
Prescott, colonel Samuel 13, 39
Provincetown (P-Town) 44, *90*, 92, *92*, **93**, *112*
Prudential Center 17, **48**, 98
Public Garden (jardin public) 19, 20, 26, **46**, 50, 108
pubs irlandais 21, **105**

Quincy Market (marché) 11, 17, **32**

Radcliffe Yard 64
radio 131
Red Sox (baseball) 6, 10, 21, 51, **53-4**, 106, 137
restaurants/cafés **74-80**, 110-112, 128
Revere, Paul 11, **13**, 27, 38, 51, 84
Richardson, Henry Hobson 47

Rockport 94, *95*, **97**
Rowe's Wharf 41

Salem 93, **95-6**, *96*
Sandwich 89, **91**
santé et soins médicaux 136
Sargent, John Singer 48, 53
Science chrétienne 10, **49**
Singing Beach *94*, 96
South Boston (Southie) 42, **56**
South End 5, 15, 46, **54-5**
spectacles 136-7
sports 6, 100, **106-8**
St Patrick's Day 104
St Stephen's Church 37
Stirling, James 61
Sturbridge, vieux village de *86*, 87
Symphony Hall 102

téléphones 134
télévision 131
Thoreau, Henry David 87, 89
transport (à Boston) 137-9
transport (vers Boston) 121-4
Trinity Church 47

USS Constitution 10, *39*, **40**, 127

vie nocturne 102-5

Walden Pond 86
Washington, général George 14, 56, 63, 64
Wayside 86
Wellfleet 93
Winthrop, John 9, 29
Wren, Christopher 27

Zoo 57

Le monde en poche avec Berlitz!

Afrique
Algérie
Kenya
Maroc
Tunisie

Allemagne/Autriche
Berlin
Munich
Vallée du Rhin
Vienne

Amérique Latine
Mexico City
Rio de Janeiro

Antilles
Antilles françaises
Bahamas
Caraïbes du Sud-Est
Jamaïque

Belgique/Pays-Bas
Amsterdam
Bruxelles

Chypre

Espagne
Barcelone
Costa Blanca
Costa Brava
Costa del Sol
  et Andalousie
Costa Dorada
  et Barcelone
Costa Dorada
  et Tarragone
Ibiza et Formentera
Iles Canaries
Madrid
Majorque et Minorque
Séville

Etats-Unis/Canada
Boston
Californie
Floride
Miami
New York

Nouvelle-Orléans
San Francisco
USA
Walt Disney World
  et Orlando
Canada
Montréal

Extrême Orient
Chine
Hong Kong
Inde
Indonésie
Japon
Singapour
Sri Lanka et les
  îles Maldives
Thaïlande

France
Châteaux de la Loire
Côte d'Azur
Euro Disney Resort
Paris
Périgord
Provence

Grande-Bretagne
Ecosse
Iles Anglo-Normandes
Londres
Oxford et Stratford

Grèce
Athènes
Corfou
Crète
Iles grecques de la
  mer Egée
Rhodes
Salonique et la Grèce
  du Nord

Hongrie
Budapest
Hongrie

Irlande
Dublin
Irlande

Italie/Malte
Florence
Italie
Malte
Naples, Capri et la
  côte d'Amalfi
Riviéra italienne
Rome
Sicile
Venise

Portugal
Algarve
Lisbonne
Madère

Proche-Orient
Egypte
Jérusalem et la
  Terre Sainte

République tchèque
Prague

Russie
Moscou et
  Saint-Pétersbourg

Scandinavie
Copenhague
Helsinki et la Finlande
  méridionale
Oslo, Bergen et les
  fjords
Stockholm

Suisse

Turquie
Istanbul/Côte égéenne
Turquie

EN PRÉPARATION
Disneyland
Los Angeles
Milan

144